Un barco cargado de... cuentos

Primera edición: agosto 1996
Decimoctava edición: febrero 2008

Dirección editorial: Elsa Aguiar
Ilustraciones: Federico Delicado

© Núria Albó, Cristina Alemparte, José María Almárcegui,
Fernando Almena, Joan Armangué, Alberto Avendaño,
Lucía Baquedano, Paloma Bordons, José Antonio del Cañizo,
Antoni Dalmases, Andrés García Vilariño, Alfredo Gómez Cerdá,
Fernando Lalana, Enric Larreula, Torcuato Luca de Tena,
Braulio Llamero, Pilar Mateos, Pilar Molina, Juan Muñoz Martín,
Elena O'Callaghan i Duch, José Luis Olaizola, Enrique Páez,
José Antonio Panero, Hilda Perera, Carlos Puerto, Llorenç Puig,
Fernando Pulin Moreno, Roberto Santiago, Emili Teixidor, Rocío
de Terán Troyano, Carmen Vázquez Vigo y Carlos Villanes Cairo, 1996
© Ediciones SM, 1996
Impresores, 2
Urbanización Prado del Espino
28660 Boadilla del Monte (Madrid)
www.grupo-sm.com

CENTRO DE ATENCIÓN AL CLIENTE
Tel.: 902 12 13 23
Fax: 902 24 12 22
e-mail: clientes@grupo-sm.com

ISBN: 978-84-348-5169-6
Depósito legal: M-55610-2007
Impreso en España / *Printed in Spain*
Gohegraf Industrias Gráficas, SL - 28977 Casarrubuelos (Madrid)

Queda prohibida, salvo excepción prevista en la Ley, cualquier forma de repro-
ducción, distribución, comunicación pública y transformación de esta obra sin
contar con la autorización de los titulares de su propiedad intelectual. La infrac-
ción de los derechos de difusión de la obra puede ser constitutiva de delito contra
la propiedad intelectual (arts. 270 y ss. del Código Penal). El Centro Español de
Derechos Reprográficos vela por el respeto de los citados derechos.

Leerse una naranja
Alberto Avendaño

ME escriben para decirme que el barco y su vapor han cumplido quince años, que ha atracado ya en más de treinta millones de corazones y que su tripulación naranja es de cien, entre marineros y marineras. Un récord de libro.

—¿Un barco cargado de naranjas?

—No, son los libros naranjas. Quiero decir que ya han publicado cien naranjas.

—En qué quedamos, ¿son libros o son naranjas?

—Son las dos cosas.

—Pues yo nunca me he leído una naranja. Seguro que al pasar las hojas, o sea, las mondas, el libro naranja te salpica los ojos con un zumo agrio que te hace llorar como una Magdalena cortando cebollas.

—¡Tú sí que eres una cebolla! Lo naranja viene a cuento de que hay libros que son la monda, con los que te mondas de risa y en los que puedes vivir una aventura monda y lironda. Son libros que, cuando has acabado de pasar todas sus hojas, te dejan la sensación de tener entre las manos un tesoro de mondarajas.

—¿Mondarajas?

—Mondaduras de naranja. ¿Por qué no te lees los cien libros naranjas?

—¡Naranjas de la China!

—¿No te gusta leer?

—Sí, pero no me quiero empachar.

—Escucha, te voy a contar algo que te ayudará a hacer la digestión:

Esto ocurrió hace quince años en una isla del océano Atlántico, frente a las costas de Galicia. Allí vivía Xan en compañía de sus padres, sus tres hermanos y unos pocos vecinos que habitaban las cinco casas que salpicaban la colina principal. En los duros inviernos del Norte, la isla quedaba aislada de la tierra firme durante semanas y hasta meses enteros. Sólo el mar bravo y las olas inmensas rodeaban entonces la isla, de la que nadie podía salir y a la que nadie podía llegar.

En uno de esos inviernos Xan cayó muy enfermo. Sufría de una fiebre altísima y sudaba tanto que su madre le tenía que cambiar las sábanas tres veces al día. Pero, una mañana, Xan se incorporó en la cama, acomodó la espalda sobre la almohada y abrió sus manos como un libro. Cuando sus padres entraron en su habitación, comprobaron que la fiebre y los sudores habían desaparecido. Sin embargo, su sorpresa fue mayúscula al ver que Xan no se movía, no les hablaba y permanecía sentado en la cama, como una estatua, observando fijamente sus manos abiertas.

Como en la isla no había médico y había que esperar a que el temporal se calmase para navegar hasta el pueblo más cercano, los vecinos y vecinas de la familia de Xan se acercaron hasta la casa para sugerir remedios a aquel extraño mal.

—Esto se arregla con sopas de burro cansado —sentenció un vecino.

La madre de Xan preparó la sopa: un plato hondo de vino tinto caliente con migas de pan y azúcar. Pero

cuando le pusieron la primera cucharada en la boca, a Xan se le encendieron las mejillas y escupió el vino y las migas contra sus manos. La madre de Xan lo limpió todo con mucha paciencia y tiró las sopas de burro cansado en el retrete.

—¿Por qué no le dan un susto? —dijo una vecina.

—Denle a oler vinagre —dijo otro vecino.

—No, mejor que beba un trago de agua de mar.

—Un cubo de agua por la cabeza es la mejor solución.

—Que le toquen la trompeta al oído.

Pero la madre de Xan ya había escarmentado con las sopas de burro cansado y no estaba dispuesta a hacer más experimentos con su hijo. Por suerte para él, ningún isleño sabía tocar la trompeta. De hecho, no había una sola trompeta en la isla.

—Ya volverá en sí —dijo la madre de Xan.

—Pero ¿cuándo? —preguntó el padre.

—Cuando acabe lo que tiene entre manos —respondió la madre.

Pasaron tres días. Xan seguía sin hablar, sentado en la cama, como una estatua, observando fijamente sus manos abiertas. Al cuarto día el mar se calmó y las nubes dejaron salir tímidamente al sol.

Unos pescadores trajeron a la maestra de Xan a la isla. La mujer había oído que su alumno se había puesto muy enfermo y le traía un regalo. Poco después, Xan reía y hablaba por los codos. Cuando toda su familia entró en la habitación preguntando cómo se había curado, Xan y la maestra se miraron y sonrieron. Sólo su madre se dio cuenta de que entre las manos abiertas de Xan había un libro.

La planta de las mariposas
Núria Albó

HABÍA una vez tres hermanas que se llamaban Tanit, Ginette y Ariadna. Vivían en una casa con un jardín no demasiado grande pero suficiente para que en él crecieran unos cuantos arbustos y las niñas pudieran jugar.

Las tres hermanas tenían un abuelo que vivía en otra casa y coleccionaba mariposas. El abuelo viajaba a los bosques de muchos países a cazar mariposas y, cuando atrapaba alguna, la llevaba a su casa, la pinchaba con un alfiler y la clavaba en un corcho. Luego, escribía su nombre en un papel y lo pegaba debajo. Había nombres muy sencillos, como *Mariposa Reina*, y otros muy divertidos, como *Papilio podalirio*.

Cuando las niñas iban a ver a su abuelo, éste les enseñaba su colección. Era muy hermosa. Todas aquellas mariposas con sus colores brillantes y con sus alas extendidas les recordaban las flores de la primavera.

El abuelo les había contado muchas veces cómo las feas orugas se convertían en plácidas crisálidas y, al cabo de un tiempo, sacudían sus alas, las desplegaban y echaban a volar.

Las niñas escuchaban, leían los nombres de las mariposas y regresaban a su casa muy contentas por lo que habían aprendido.

Un día, al final del invierno, fue el abuelo quien las

visitó. Llevaba una maceta muy grande con un arbusto en ella y, en el asiento trasero del coche, un gran paquete envuelto en papel de embalar.

—Hola, jovencitas —les dijo el abuelo—. Vais a ver lo que os traigo. Para empezar, tomad este arbusto. Se llama *budleya*, pero tiene otro nombre que os va a gustar más: planta de las mariposas. Se llama así porque el néctar de sus flores las atrae irresistiblemente. Vamos a plantarlo en el jardín y, cuando llegue la primavera y acudan las mariposas, podréis cazarlas y empezar a coleccionarlas lo mismo que yo.

—¡Oh! ¡Qué bien! —dijeron las niñas.

Fueron al jardín, plantaron la *budleya*, la regaron y, luego, fueron a buscar el paquete, que seguía en el asiento trasero del coche del abuelo.

Dentro aparecieron tres cazamariposas, tres paneles de corcho y una cajita con largos alfileres de cabeza negra. También había un pedazo de corcho más pequeño con tres mariposas clavadas para que les sirviera de modelo. El abuelo les enseñó por dónde había que pincharlas para que no se les estropearan las alas. Después comió con ellas y sus padres y, por la tarde, regresó a su casa.

Las niñas lo guardaron todo en su habitación y esperaron a que llegara la primavera. Cuando por fin llegó y empezaron a florecer todas las plantas, también lo hizo la *budleya*. Sus flores eran arracimadas. Se parecían mucho a las lilas, hasta en el color, pero su perfume era menos intenso y también eran menos hermosas.

—¿Creéis que a las mariposas va a gustarles esta flor? —preguntó Ginette— Si yo fuera mariposa, preferiría un jazmín.

—Pronto vamos a verlo —dijo Tanit.

10

Pero fue Ariadna quien antes se dio cuenta de que llegaban las mariposas.

—¡Ya están aquí!

Había dos. Una marrón pálido y otra blanca con motitas verdes.

Las niñas fueron a buscar sus cazamariposas y se acercaron a la planta. Ginette atrapó la mariposa blanca, pero la marrón se le escapó.

—No importa —dijo Tanit—. De momento nos basta con una. Así probamos y vemos si nos acordamos de lo que nos dijo el abuelo.

Como Tanit era la mayor y tenía la mano más grande, fue la que recogió la parte superior del cazamariposas para que la mariposa no se fuera. La mariposilla movía sus alas asustada en el otro extremo de la manga de su prisión y a las tres niñas empezó a darles mucha lástima.

Fueron a su habitación, cogieron un panel de corcho y un alfiler y, entonces, Ginette metió la mano en el cazamariposas y cogió la mariposa.

—¡Ay, ay! —dijo riendo—. ¡Me está haciendo cosquillas!

Con mucho cuidado la puso encima del corcho y, entonces, Ariadna dijo:

—¿Quién va a pincharla?

Nadie respondió. Las tres miraban la mariposa blanca, tan linda y tan asustada, y se les encogió el corazón.

—Yo no lo haré —dijo Tanit.

—Yo tampoco —dijo Ginette.

—Y yo menos —dijo Ariadna.

La ventana de su habitación daba al jardín. Enfrente mismo estaba la planta de las mariposas. Las niñas abrieron la ventana, soltaron la mariposa blanca y le dijeron:

—Anda, vete. Preferimos que vueles y vivas.

La mariposa se fue muy contenta. Dio un par de

vueltas por el jardín y se posó de nuevo encima de las flores de su planta.

—¡Serás tontaina! —dijo Ginette—. ¿Ya no recuerdas que te cazamos ahí mismo?

En fin... Las tres hermanas no atraparon mariposas nunca más.

Lo que hicieron, mientras la planta estuvo en flor, fue sentarse cada día un rato a su alrededor. Las mariposas se acercaban, revoloteaban, se posaban, sorbían el néctar y se iban. Era muy hermoso ver siempre aquel arbusto lleno de mariposas.

A veces las mariposas se posaban encima de las niñas, sobre todo cuando estaban recién duchadas y olían como las flores de la primavera. Entonces, ellas permanecían muy quietas y, si alcanzaban, pasaban un dedo suavemente por encima de sus alas tenues.

Monos Submarinos
Cristina Alemparte

OS advierto que esto no es un cuento. Le ocurrió a Jose, el vecino del segundo, cuando mi hermana Marta tenía diez años y yo me aburría estudiando Derecho Financiero.

Jose había cumplido doce años. Era un niño largo, delgaducho, de pelo amarillo y ojazos claros. Algunas tardes, Marta bajaba a jugar con él con la bolsa de los Clic y el bocadillo de pan con tomate. Otras veces subía su amigo cargado de libros y se ponían a hacer los deberes juntos.

Aquella tarde, Jose no traía cuadernos ni juguetes. Enarbolaba una revista de colorines, de esas que sólo contienen fotos de gente y anuncios, montones de anuncios. Lo que emocionaba tanto a nuestro vecino era, precisamente, un recuadro pequeño donde se anunciaba algo excepcional.

—¡Mirad! —gritó mientras nos ponía bajo las narices el papel cuché—. ¡Voy a comprarlos!

Marta y yo vimos el dibujo de unos bichos encantadores que, provistos de coronas y capas, saltaban y se columpiaban en una especie de parque acuático. Al fondo de la imagen, otros especímenes charlaban con gran animación a la sombra de un castillo de cuento, con sus almenas y sus torrecillas puntiagudas.

El anuncio decía:

MONOS SUBMARINOS

¡Las criaturas más asombrosas que pueda usted imaginar! ¡Véalos brincar, saltar y hacer cabriolas! ¡Disfrute enseñándoles trucos y acrobacias, presuma ante sus amigos de las mascotas más inteligentes y graciosas que existen! ¡Procedentes del Mar de Andamán, estos increíbles animalitos harán las delicias de sus hijos, que podrán amaestrarlos y cuidarlos sin la menor molestia! ¡Por sólo cuatro mil novecientas noventa y cinco pesetas, recibirá usted en su domicilio un Lote Completo con treinta Monos, comida suficiente para un año, gran Pecera con Castillo Medieval y manual de instrucciones! ¡Existencias limitadas! ¡Envíenos hoy mismo su cupón de pedido y recibirá ocho Monos extra!

—¡Voy a comprarlos! —repitió Jose—. Me queda dinero de mi cumpleaños y... bueno, ¿qué os parecen? ¿A que son increíbles?

—Eso mismo —dije yo—. Son increíbles. No me fío ni pizca de esa clase de anuncios.

—Hombre, en el dibujo salen unos bichos preciosos —opinó Marta—, pero como se entere tu padre...

—Ah, no, es que no se va a enterar —contestó él—. Sólo lo sabéis vosotras dos y mi hermana Maricruz. Guardaréis el secreto, ¿verdad?

Claro que lo guardamos. En pago a nuestra fidelidad, Jose subió el paquete de los Monos Submarinos apenas lo hubo recibido de manos del cartero. Envuelto en un papel marrón muy basto, tenía el tamaño de una caja de zapatos.

—Qué pequeño —se extrañó Marta—. ¿Caben ahí los treinta Monos?

Su amigo no le prestó atención. Luchaba a brazo partido con los adhesivos del paquete y con un mechón pajizo que se le metía por los ojos.

Al fin abrió la caja. El famoso Lote Completo contenía una pecera de plástico, un castillo del mismo material, un folleto y dos sobres muy similares a los de sopa instantánea.

—¿Y los Monos Submarinos? —pregunté escamada—. ¿En los sobres de sopa?

Lo dije por decir, pero resulta que acerté. Según el librito de instrucciones, los Monos crecidos no podían resistir el viaje en un paquete postal: por eso los mandaban en embrión, resguardados en el sobre de papel de estaño.

—Para que nazcan hay que hacer lo que pone aquí —explicó Jose—: Metes los huevos en la pecera, les echas agua tibia y esperas diez días. Entonces salen los Monitos. El otro paquetito contiene la comida para ellos.

Marta envolvió el Lote en una mirada crítica. Como yo, pensaba que Jose se había dejado timar miserablemente. Él, sin embargo, parecía feliz y satisfecho mientras rasgaba el sobre de los huevos de Mono Submarino.

—¿Puedo dejar la pecera en tu cuarto, Marta? —le pidió—. Mejor será que no la vea mi padre. Siempre dice que me gasto el dinero en tonterías.

—Y lleva más razón que un santo —opiné mientras observaba con cierto asco los Monos embrionarios, que tenían toda la pinta de comida para tortugas. Jose los depositó en el fondo de la pecera y, con cuidado infinito, los cubrió de agua templada.

Cada tarde, nuestro Criador de Monos subía para estudiar los progresos de sus criaturas. Nada. En el agua turbia se distinguían apenas unos granulitos terrosos e informes.

—Faltan nueve días —anunció Jose la primera vez.

Repitió lo mismo tarde tras tarde, reduciendo la cifra, hasta que por fin, le oímos decir:

—Falta sólo un día. ¡Nacen mañana!

Para entonces estábamos todos contagiados de su entusiasmo. Incluso mis padres hacían visitas clandestinas al alféizar de la ventana donde se desarrollaba el prodigio.

—Yo no me lo creo —aseguraba mi padre sin perder de vista los granitos marrones.

—Ni yo tampoco —decían mi madre, Teté, Pilar y Toño.

—Esto es un engañabobos —afirmaba yo con gesto severo.

Mentira podrida. Nuestras mentes calenturientas albergaban la imagen de una tribu de monitos que agitaban sus colas en el agua y sonreían con esas caras tan simpáticas del anuncio. Y cuando Jose anunció a grito pelado el nacimiento del primer Mono Submarino, nos apelotonamos todos frente a la pecera, disputándonos la primera fila sin muchos miramientos.

Nos quedamos sin habla. Allí los teníamos. Varios Monos Submarinos daban su paseo inaugural por el agua achocolatada mientras nosotros los observábamos con la boca abierta.

—¡Qué horror! —exclamó Marta—. ¡Son como gambas, pero más feos!

De todas las definiciones que aplicamos a los Monos Submarinos, la de Marta fue la más ajustada. En efecto: parecían gambas, una gambas canijas, escuchimizadas y parduzcas.

Jose no dijo nada. No era de esas personas que se dejan abatir por nimiedades. Cogió la pecera y se encaminó hacia la puerta sacudiendo orgullosamente sus pelos amarillos.

—Ya crecerán —murmuró entre dientes—. Los renacuajos tampoco parecen ranas, pero cuando crecen se transforman en ranas.

El Criador de Monos no se rindió. Siguió cuidando de sus mascotas con mimo y perseverancia. Les cambiaba el agua, les echaba la dosis justa de alimento, los ponía al sol en la terraza y hasta les hablaba con cariño. Nunca supimos si los Monos agradecían estas atenciones; se limitaban a ir de un sitio a otro moviendo sus colas de camarón desteñido.

Cuando, dos meses después, se agotó la comida del sobre, Jose no se preocupó demasiado. Escribió pidiendo más sobres y ofreció a sus criaturas toda clase de alimentos pasados por la picadora. Para su desesperación, los Monos dejaron de comer. Cada mañana había uno o dos flotando panza arriba en la pecera. Nuestro amigo aguantó hasta que el cartero trajo su carta devuelta. Los del anuncio se habían esfumado y, con ellos, la última esperanza de salvar a los Monos Submarinos.

—Se van a morir todos —vaticinó Jose con aire apenado—. Creo que lo mejor será soltarlos, dejarlos libres. A lo mejor en el mar saben buscarse comida y logran sobrevivir.

Me tocó a mí llevarlos al Mediterráneo. Llegamos a Nerja antes de comer, a la hora en que los turistas ingleses duermen la siesta con la tripa llena de tomate y pescado frito. No había nadie en los extremos de Burriana, donde las rocas. Mojados hasta la cintura, miramos cómo vaciaba Jose el agua marrón de la pecera en la transparencia azul de la playa malagueña.

Y entonces sucedió.

Las gambas ya no eran gambas.

Podéis creerlo o no. Pero ocurrió. Aquellos bichos feos e insignificantes se habían transformado en unos seres maravillosos. Los del anuncio no podían compararse con los verdaderos Monos Submarinos.

Marta, Pilar, Jose y yo los vimos nadar y bailar agitando sus colitas de mono. Los vimos reír mientras nos decían adiós con sus patas pequeñas y delicadas. Los vimos alejarse cogidos de la mano, en grupos alegres, a lomos de la corriente que los separaba de la costa.

Ya os he advertido antes que esto no es un cuento. Le sucedió a Jose cuando Marta tenía diez años y yo dormitaba sobre las páginas de mi libro de Derecho Financiero.

Duendes de tinta
Fernando Almena

ALICIA, te sientes diferente. No por tu pelo tornasolado, capricho de mil luces, ni por tus dientes saltones de conejillo travieso. No por tus ojos garzos, ventanales de tus nueve años abiertos a todos los mundos.

No te sientes diferente porque juegues al fútbol mejor que los chicos ni porque te aburran las insulsas muñecas sin sentimientos y con voz de disco rayado. No porque pienses que un cuento es el puente que conduce hacia la propia fantasía.

Te sabes distinta porque eres amiga de los duendes. Aunque tú no crees que los duendes tengan vida propia. Por eso, sobre el papel, los creas con borrones de tinta que tu mano, obediente a los sueños, sabe modelar hasta llenarlos de vida.

Duendes de tinta, guardados en cuartillas dobladas, que comparten tus juegos. Amigos secretos que inundan de aventuras tu soledad y que demuestran que nada es tan posible como lo imposible, que la fantasía nace de la más sencilla realidad, que la vida sonríe siempre detrás de la tristeza. Tus duendes de tinta con los que quieres transformar el mundo.

Vas con don Anselmo, el maestro, y tus compañeros de clase de visita a una importante fábrica de productos de escritura. La tinta, almacenada en tanques, te sugiere el azul marino del verano. Esencia de mar, con la que podrías crear y en la que podrían vivir los más fabulosos duendes.

Sacas del bolsillo las cuartillas en que se ocultan tus duendes de tinta para mostrarles ese mundo azul del que quizá hayan salido. Y entonces sucede lo inesperado: la tinta reseca que da vida a tus duendes comienza a reblandecerse. Se licúa y se hace fluida çomo si løs dibujos acabaran de ser por ti pintados, y resbala por las cuartillas. Gota a gota, de igual modo que el agua del manantial busca el torrente, la tinta se desliza por el papel, cae dentro de uno de los depósitos y se diluye dentro de ese mar azul que tanto te ha impresionado.

Las miradas de tus compañeros quedan presas en tus cuartillas, observando cómo se tornan blancas e inmaculadas, tal que jamás las hubiera acariciado tinta alguna. Los ojos de don Anselmo —siempre atento a cualquier travesura— buscan los tuyos con una mirada seria de recriminación.

Todos tus compañeros ríen ante el fenómeno. Tú, Alicia, sorprendida, sonríes y te limitas a comentar:

—Los duendes han buscado la libertad.

Pero nadie te cree.

Sin embargo, tú sí sabes que a partir de este instante podrán ocurrir los más sorprendentes acontecimientos. Una pandilla de duendes sueltos es capaz de volver el mundo del revés.

Al principio nada especial sucede. Pero cuando la tinta inunda el mercado...

Lucas, tu hermano, quiere escribir una tímida nota a esa chica de octavo que tanto le gusta para pedirle unos apuntes. Pero le sale una inflamada y bella carta de amor. Y la chica, Laura, se derrite como un helado de fresa.

Paco, el más distraído de clase, pretende responder

en el examen con: «Sólo sé que no sé nada». Sin embargo, don Anselmo se queda alucinado cuando lee su trabajo perfecto. Decide ponerle un cero, convencido de que ha copiado.

Por el contrario, Marga, la empollona, en vez de responder al examen, escribe un canto a las ásperas caricias de la hoja de higuera. Don Anselmo piensa que habrá tenido un mal día, y le pone un ocho.

Aunque los resultados del examen de nada sirven. Porque don Anselmo se propone repartir algunos suspensos, pero de su pluma sólo salen sobresalientes, tal que no supiera escribir otra palabra.

Don Gustavo, el más rico y avaro del barrio, piensa extender un talón de cien pesetas para el asilo y, sin que nadie sepa el porqué, comienza a añadir tantos ceros que las monjitas tienen que gritarle: «¡Basta, don Gustavo!, que, más que una cantidad, parece un tren».

Las páginas de sucesos de los periódicos empiezan a dar noticias alegres. Y las revistas del corazón hablan de la gente sencilla.

Los políticos cambian sus leyes ininteligibles por claros poemas. Los dictadores, las penas de muerte por el perdón. Los jefes de los terroristas, sus órdenes de muerte por felicitaciones navideñas y de cumpleaños.

Los jefes de Estado, en vez de declaraciones de guerra a los países vecinos, suscriben tratados de amistad.

Las palabras ofensivas, al ser escritas, se tornan en alabanzas. Los insultos, en elogios. La adulación, en juicio justo.

El mundo se convierte en lo que tú soñabas.

Los hombres sabios sonríen. Pero los hombres listos y los poderosos, insatisfechos, descubren que el secreto se halla en la tinta, que se ha ido llenando de duendes, de papelería en papelería, de imprenta en imprenta, de país en país. Y comienzan a escribir a lápiz. Sólo a lápiz. Menos el pueblo llano, que continúa escribiendo a tinta. Y todo vuelve a ser igual que antes.

Por eso, Alicia, a partir de ahora has decidido dibujar tus duendes a lápiz, aunque se difuminen y casi se borren de llevar en el bolsillo las cuartillas dobladas. Pero seguirán acompañando tu soledad, tus juegos y tu fantasía como cuando eran de tinta.

Dibujarás tus duendes a lápiz, Alicia, porque sabes que cualquier día don Anselmo os llevará de visita a alguna fábrica de lápices. Quizá ese día no sólo los duendes alcancen su libertad.

Blanca y redonda
Joan Armangué

UNA buena mañana me levanté y enseguida me di cuenta de que me había enamorado.

No cabía ninguna duda. ¿Qué era, si no, aquella sensación extraña que notaba en el corazón y que subía y subía hasta dibujarme una sonrisa en los labios? Era amor, un amor sincero e intenso, de los que duran toda la vida y puede que un poco más.

Era bonito estar enamorado. Esa alegría... Esos celos ligeros... y, sobre todo, esas ganas tan fuertes de ver a mi amada, de pasarme todo el día pegado a ella, de abrazarla, de besarla, de...

«Pero, ahora que lo pienso —me pregunté de pronto—, ¿de quién estoy enamorado exactamente?».

Ni idea. De María Dalmau probablemente no, porque, aunque era simpática, no me acababa de parecer bonita. A Rosario Casas, en cambio, le pasaba todo lo contrario: era muy bonita; pero simpática, no. Nada de amor... ¿Y Nuria?

No. Así nunca lo conseguiría. De manera que, después de desayunar, decidí salir a la calle a ver si, entre las risueñas cabecitas de las Ramblas, distinguía a mi amada.

¿Cómo tenía que ser? No lo veía muy claro. Siempre me habían gustado las chicas blancas y redonditas, pero eso, bien mirado, daba lo mismo. Lo importante

23

era que nos entendiéramos y que nos quisiéramos y que nos apeteciera pasar la mar de rato juntos.

Una vez en las Ramblas, ¡cuántas chicas que podrían ser mi amada! ¿Quizá aquella...? No, quizá no. ¿Y aquella otra? Tampoco. ¿Y si fuera la que corría hacia el mercado?

«Más vale preguntárselo», decidí. Y me acerqué a la chica en cuestión.

—Perdone —dije, educado—, ¿podría decirme si es usted mi amada?

—Pues no, señor —respondió, muy educada, ella—. Si no le importa, yo soy la amada de mi marido.

—¡Ah...! Entonces quizá no nos entenderíamos...

—No mucho.

Había quedado claro. Y siguió quedando claro durante el resto de la mañana y parte de la tarde. Hasta que al final, decepcionado, regresé a casa a cenar.

No había nada que hacer. Mi amada se escondía. Aunque... yo no tenía ninguna prisa. Podía vivir tranquilamente aquel sentimiento tan intenso. ¿Acaso no eran bonitas aquellas cosquillas que sentía en el corazón y las palabras tiernas que allí nacían? ¿Acaso no era bonito estar enamorado?

Acompañado de ese pensamiento tan dulce, me metí en la cama. Estaba cansado: acababa de empezar la aventura más bonita de mi vida.

No tardé en dormirme. Más allá de las azoteas, la luna alargaba los brazos para acariciar mis sueños.

La luna... Tan blanca y tan redonda.

El *paraguas de lunares*
Lucía Baquedano

CUANDO vimos el paraguas en la entrada de casa, pensamos que sería de don Genaro, hasta que nos dimos cuenta de que, aunque era negro, tenía muchos lunarcitos blancos, y los curas no usan paraguas con lunares. Así que mi madre dijo que quien se lo hubiera dejado ya lo reclamaría, y todos nos olvidamos de él.

Bueno, todos menos yo, que sabía de quién era aquel paraguas.

Si alguien nos cae bien a José Ignacio, a Rodríguez, a Seve y a mí es Micaela. Tiene más de noventa años y, como ha perdido la cabeza, es una gloria hablar con ella, porque siempre dice las cosas que uno menos espera. Por eso, aquel día, cuando íbamos por el camino del río, hablando de lo que nos traerían los Reyes, y la vimos, fuimos con ella.

Llevaba el paraguas abierto y solamente nevaba encima de él, porque estaba lleno de copos blancos. Cuando se lo dije, me contestó que no era extraño, puesto que siempre nieva en Navidad. Ya he dicho que Micaela es así.

Se empeñó en decir que no era Micaela, sino Navidad, y aunque queríamos que volviera a su casa, porque si se alejaba mucho, Salomé, que es su hija y tiene un genio horrible, se enfadaría, no quiso hacernos caso. Y con esa manía que le había entrado de que no era Micaela, dijo que se iba para siempre, porque la gente de ahora ya no entendemos el espíritu de la Navidad y no sabemos celebrarla.

A todos nos extrañó que lo dijera, porque precisamente este año estaba el pueblo muy adornado, así que empezamos a hablar todos a la vez. Nosotros no queríamos que se fuera, porque, como decía Seve, si no había Navidad no tendríamos vacaciones, y Rodríguez no paraba de hablar de la cantidad de turrones que habían comprado, y José Ignacio también estaba asustado, porque ya contaba con la paga de todos sus tíos para comprarse el barco pirata de los *Madelman*, y a mí me dieron ganas de llorar, porque me había enterado de que en un concurso de la televisión iban a subastar la bici de Indurain, y yo les había escrito a los Reyes para que pujaran por ella y me la trajeran, y ya estaba viendo que me quedaba sin ella, porque tampoco hay regalos de Reyes si no hay Navidad.

Ella siguió caminando, alejándose cada vez más del pueblo, y nos dio mucha vergüenza cuando dijo que todos habíamos hablado de recibir cosas, pero que a ninguno se nos había ocurrido dar, y nos contó que de niña siempre quiso tener una muñeca con tirabuzones rubios. Se la pedía cada año a los Reyes, pero nunca la tuvo, porque siempre ocurría algo extraño que les impedía llegar hasta su casa. La guerra, el alud de nieve, la riada...

—Y todavía sigue habiendo niños que no reciben ni un solo regalo —dijo.

Yo agaché la cabeza, porque en aquel momento Cuca pasó a nuestro lado. También Cuca nos gusta a todos. Como es negra, da mucho gusto cuando se ríe, porque entonces se le ven unos dientes blancos, blancos. Además sonríe casi siempre, porque debe de ser muy feliz, y me gusta el jersey tan magnífico que lleva, que antes era del padre de Rodríguez y ella lo usa para abrigo, porque le llega hasta las rodillas y le queda formidable.

Pensé que debía de ser pobre, porque no tenía juguetes, así que pensé en dejarle mi bici de Indurain siempre que quisiera. Pero cuando se lo iba a decir, me desperté.

Me alegré de que todo hubiera sido un sueño. De que Micaela fuera Micaela y, ¡uf!, de que siguiéramos estando en Navidad. Pero, no sé por qué, me sentía tan avergonzado de seguir siendo egoísta, que rompí la carta que había escrito el día anterior y empecé otra:

> Queridos Reyes: Me gustaría que me traigáis una muñeca.

Mordí el boli, porque no sabía qué más poner. Es que yo no entiendo nada de muñecas, pero me acordé de Micaela y añadí:

> Si podéis, que sea con tirabuzones rubios.

No sé por qué mi madre la tuvo que leer, con la rabia que me da que me lean mis cosas. Pero se ve que todas las madres son iguales, porque también las de mis amigos leyeron sus cartas.

Nos enteramos porque estábamos debajo de la mesa camilla de casa de Rodríguez jugando a noches tenebrosas. Como era el santo de su madre, las nuestras habían ido a felicitarla, y de repente la madre de José Ignacio se puso a llorar. Nos hizo mucha impresión. Empezó a decir que estaba muy preocupada con sus chicos. Sobre todo con Seve, que es su sobrino, porque a ver qué le decía ella a su cuñado, con lo que es...

—¡Y la culpa de todo la tiene esa idiotez de la educación no sexista que se ha puesto de moda! Teníais que haber visto la cara de mi cuñado cuando Seve dijo un día que tenía que llevar a la escuela unas agujas del tres y un ovillo de perlé, porque la señorita les iba a enseñar a hacer punto... Y ahora les piden los dos a los Reyes una muñeca... ¡y con tirabuzones rubios!

Entonces, la madre de Rodríguez suspiró y dijo que también estaba preocupada, porque había leído la carta de su hijo y se había quedado de piedra al ver que pedía una muñeca.

A mi madre, que tenía mi carta en la mano, le dio por reír, como si estuviera tonta, y, cuando se le pasó el ataque de risa, les dijo que le parecía que nos habíamos hecho mayores y que lo único que pretendíamos era tomarles el pelo. Pero no le hicieron caso: la madre de José Ignacio seguía protestando de la educación moderna y la de Rodríguez decía que los Reyes jamás cometerían tamaña estupidez, pero no se le entendía muy bien, por lo que gritaba la madre de José Ignacio, que no hacía más que repetir lo de las agujas del tres y el ovillo de perlé. Al fin, mi madre gritó más que nadie, para decir que estaría muy bien que todos tuviéramos nuestras muñecas, por querer burlarnos de ellas.

A mí no me importaba lo que creyeran. Yo quería una muñeca para ver lo blancos que se veían los dientes de Cuca cuando se encontrara con cuatro muñecas.

¿Pero no era raro que todos hubiéramos tenido el mismo sueño?

Por eso, me alegré tanto cuando vi el paraguas de copos de nieve en la entrada de mi casa. Me di cuenta de que no se había ido. La Navidad se había quedado con nosotros.

Claro, no se lo dije a nadie, porque seguro que no me creerían.

Nunca me creen nada...

Mamá no me va a creer
Paloma Bordons

—¡OÑÍN!

Ése soy yo.

Bueno, en realidad soy Antonio. Toñín soy cuando mamá me quiere pedir un favor o cuando tengo fiebre, pero sólo si es más de 38°.

—¡Toñín, cielo! ¿Te importaría pasar un momento por el tinte?

¿No te lo decía?

—Esta tarde es la boda de la prima Azucena, y hay que recoger mi vestido rosa.

—¡Jo! ¡Siempre me toca...! —empiezo a protestar.

Pero no termino, porque se me acaba de ocurrir una cosa.

—Y... volveréis muy tarde de la boda, ¿no?

—Pues...

—¡No importa! Miguelón me ha invitado a su casa esta tarde. Y me puedo quedar a dormir allí, así podréis regresar todo lo tarde que queráis.

—Hummm... —hace mamá.

Y eso quiere decir que no le gusta que vaya a casa de Miguelón y menos que me quede a dormir. Porque Miguelón es mayor que yo y dice tacos y una vez vino a casa y pegó chicle debajo de la mesa del comedor. Todo eso quiere decir «Hummm».

31

—Entonces, ¿puedo? Di que sí, di que sí, di que sí, di que sí... Venga, mami.

Para mí, mamá es mami cuando le pido algo o cuando tengo fiebre, incluso si es menos de 38°.

—Bueeeno —dice mamá—. Y ahora vete corriendo al tinte porque van a cerrar. Sabes qué vestido es, ¿no?

—Claro. El de todas las bodas. El cursi ese de los encajes, los flecos y los floripondios, ¿no?

—Tráelo con mucho cuidado —mamá hace como que no me oye—. No lo arrastres por el suelo... Pero tampoco lo vayas a llevar hecho un higo... y ojo con tocarlo con los dedos, que siempre los tienes pringosos... y...

Yo ya estoy en la tintorería y seguro que mamá sigue en la puerta de casa dándome consejos.

Llevo el traje de las bodas colgado del brazo como los toreros llevan el capote cuando salen a la plaza. Hasta por el color parece un capote. Rosa fosforito. Dicen que los colores brillantes atraen a los toros.

Lástima que por aquí no haya toros. Sólo hay un chucho callejero todo despeluchado. Aunque también le gusta mi capote. Corretea detrás de los flecos dando ladridos chillones.

Agarro mi capote con las dos manos y lo sacudo delante de él:

—¡Eh, toro! ¡Eh!

El toro se acerca corriendo al capote y yo se lo paso por encima con un estilo que ni Espartaco.

—¡Olé!

No le ha hecho gracia. Se acerca otra vez corriendo y ladrando y yo vuelvo a extender el capote frente a él.

—¡Eh, eh!

Esta vez tarda un poco en salir por el otro lado del

capote. Es decir, tarda mucho. Muchísimo. No sale. ¿Por qué porras no sale?

Levanto el capote y veo que el toro está enredado entre los flecos, mordiendo, tirando y volviendo a morder. Yo tiro de mi lado del capote con todas mis fuerzas, hasta que se oye un tremendo... ¡RAAAAAS!... y el chucho sale corriendo con un pedazo de tela rosa entre los dientes.

La catástrofe.

Los gritos de mamá se oirán en la China. Me encerrarán en mi cuarto por el resto del día. O por el resto del verano. O por el resto de mi vida. Me darán de comer agua y pan duro, pero sin el currusco, que es lo que más me gusta. Y lo peor es que esta tarde no iré a casa de Miguelón.

A no ser que... Que vuelva a casa con una historia tremenda. Resulta que yo habré corrido tanto peligro tratando de salvar el dichoso vestido rosa, que mamá se contentará con volverme a ver vivo.

«¡Mamá! ¡No sabes lo que me ha ocurrido! Me ha asaltado una banda de forajidos en plena calle. El jefe quería el vestido para su novia. Entre todos han tratado de quitármelo, pero yo no lo soltaba. Sólo que ellos tiraban tan fuerte que...»

«¡Oh, hijo mío! ¡No has debido arriesgarte por un ridículo vestido rosa!», dirá mamá abrazándome.

No. No dirá eso. Dirá:

«¿Ya estás con tus embustes? ¿Me tomas por tonta? ¡Ven aquí, que te...!»

Y, entonces, irá y me...

No, tendrá que ser otra cosa. Algo que ella se pueda creer.

¡Un león! Un león hambriento, escapado del zoo, que

33

haya confundido los flecos de su vestido con una ristra de chorizos. Puede pasar, ¿no?

«¡Qué león ni qué ocho cuartos! —ya oigo gritar a mamá—. ¡Yo sí que estoy hecha un león...!»

No. Tampoco vale. Mamá nunca cree nada que tenga que ver con leones o forajidos.

¡Mi tía Paquita! Mi tía Paquita es de verdad y tiene fama de envidiosa.

«Me he encontrado con tía Paquita en la calle. Cuando se ha enterado de que éste era tu vestido para la boda de Azucena, le ha dado tanta envidia que ha sacado unas tijeras de podar del bolso y, ¡ris ras!, ha empezado a cortarlo por todas partes. Y como es mi tía no me he atrevido a decirle nada».

No. No colará. Tía Paquita vive en Murcia. Y siempre lleva unos bolsos tan pequeños que no caben dentro ni unas tijeras de uñas. Menos unas de podar.

Me dejo caer en un banco y me tapo la cara con las manos. No hay nada que hacer. Lo mejor será que no vuelva nunca a casa. Pediré limosna para vivir y, si no me dan, me haré salteador de caminos. Gritaré:

—¡La bolsa o la vida!

—Ay, hijo, qué modales. Toma la bolsa.

Enfrente de mí hay una señora gorda y vieja que me tiende una bolsa de palomitas. ¡Glup! Se ve que he hablado en voz alta sin darme cuenta.

—No..., si yo... —tartamudeo— no quiero palomitas... Perdone, no le decía a usted... Es que... —suspiro muy fuerte.

—¿Te pasa algo?

Me han dicho mil veces que no debo hablar con desconocidos. Pero cuando asaltas a una persona, aunque sea sin querer, deja de ser desconocida del todo. Además, si ya no voy a volver a casa, puedo saltarme todos los consejos a la torera.

¡Torera! Esa palabra me recuerda al chucho que se acaba de comer mi capote. Suspiro otra vez y le hablo de eso a la señora, que, bien mirado, no es tan gorda ni tan vieja.

—¡Bah! —dice ella—. No te preocupes, que eso tiene arreglo. Resulta que yo soy hada.

—¿Hada? —mi voz suena un poco incrédula.

—Sí, hada. ¿Qué pasa? —replica ella, algo picada.

Y ahora me parece que es más bien joven y para nada gorda.

—Explícame cómo era el capo..., digo, el vestido —me pide.

Yo le hablo de abalorios y encajes y caladitos y flecos. Sin olvidar los floripondios.

—¡Qué hortera! ¿No? —ríe el hada, que además de guapa es simpatiquísima.

Y con un gesto de la mano, sin varita ni nada, le va poniendo de todo al traje, hasta que queda como nuevo y todavía más horrible que al principio.

—¡Ya está! —me mira y sonríe.

Y yo, qué tonto, de pronto no sé qué decir. Ahora que la veo tan maja y tan enrollada, me da corte. Me pongo de pie y le doy las gracias todo colorado. No sé si darle la mano o darle un beso y, al final, no le doy nada y me voy andando cada vez más deprisa, hasta que acabo corriendo a toda velocidad.

—¡Antonio! ¿Eres tú? —grita mamá en la cocina.

—Sí, mamá. Aquí está el vestido.

—Gracias, Toñín. No lo has arrugado ni un poquito. ¡Pero cuánto has tardado! ¡Ya estaba preocupada! ¿Qué te ha pasado?

—¿A mí? Nada, mamá.

Las hierbas de la abuela
José Antonio del Cañizo

Á LVARO irrumpió en casa como una tromba, seguido por su pájaro Mozart, que revoloteaba alegremente sobre su cabeza.

—¡Abuela, abuela, la merienda! Tengo un hambre de lobo. ¿Dónde estás?

Se volvió a Mozart y le dijo:

—Parece que no está en casa.

Cuando más convencidos estaban de que no había nadie, la puerta de la cocina se entreabrió lentamente, chirriando sobre sus goznes, y...

—¡Un fantasma! —chilló Álvaro, asustadísimo.

Una figura cubierta por una sábana blanca había salido por la puerta. Pero Álvaro miró la mitad inferior del fantasma y vio los faldones de la bata de la abuela. Ésta levantó la sábana que le cubría la cabeza y dijo:

—¡Hola, Álvaro! ¿Qué tal por el cole? Estaba tomando mis inhalaciones de hojas de eucalipto.

Tenía la cara como un tomate y sudaba a chorros. Sobre la cocina se veía un cacillo humeante. Olía muy bien.

—¿Sabes que, por un momento, me ha parecido que estaba a punto de coger un catarro? Claro que no puede ser, habiendo veraneado en Carrascalejo.

La abuela tenía una fe enorme en los beneficiosos efectos del veraneo en Carrascalejo sobre la salud en general. Se trataba de un pueblecillo de la sierra que a su gran altitud y a sus muchas virtudes unía la de ser su pueblo.

—¡No falla, es que no falla! —decía continuamente a sus amistades—. Veraneando en Carrascalejo no pilla uno ni un catarro, ni una gripe, ni un resfriado en todo el año. ¡Mi pueblo es sanísimo!

Y tenía también una fe sin límites en las inhalaciones de eucalipto y en los cocimientos de hierbas medicinales. Cuando iban a su pueblo las recogían por el campo y volvían cargados de bolsas. Metían las hierbas en frascos de cristal y se sentaban en la mesa camilla a hacer etiquetas.

—Álvaro, escribe tú, que tienes mejor letra. Pon: poleo, manzanilla, hierba luisa, romero, orégano, salvia, gordolobo...

Una vez pegadas ésas, ella, en otras etiquetas, iba poniendo: dolor de vientre, nervios, insomnio, catarro, reúma, tos... Y las iba pegando en los frascos. Un poco al azar. Conforme le dictaba la inspiración del momento.

—Pero, abuela, ¡las pegas a lo loco! —protestaba su nieto.

—Lo importante es creer en ellas, Álvaro. Les da mucha moral el notar que confías en ellas. Se crecen al sentirlo. Y, sobre todo, la clave está en tener gracia para mezclarlas.

Álvaro la miraba, asombrado. Entonces la abuela se crecía, cogía también mucha moral al ver que su nieto confiaba en ella, se frotaba las manos y enarbolada el bolígrafo.

—Y ahora vamos a lo importante —decía, con cara de ilusión.

Y se ponían a escribir etiquetas en las que se leía:

tristeza, nostalgia, añoranza, rutina, pesimismo, melancolía, vejez...

—Y ahora las tuyas, Álvaro. Ya verás qué bien te sientan.

Y escribía otras que decían: matemáticas, física, lengua, ciencias sociales, inglés...

Así, cuando ella se sentía envejecer por momentos, o le inundaban los recuerdos agridulces, o recordaba, con una punzada en el corazón, a los padres de Álvaro, corría a la despensa, miraba las etiquetas de los frascos, y se hacía una tisana de la hierba más adecuada o mezclaba con mucho arte unas cuantas.

Y cuando Álvaro le decía que iba a tener un examen de matemáticas dificilísimo, ponía inmediatamente a hervir la infusión que correspondía.

¡Y a Álvaro le salía el examen bordado!

—¿Lo ves, Álvaro? ¿Lo ves? Entre las hierbas y el veraneo en Carrascalejo vamos de maravilla.

Pero al día siguiente a aquel en que la encontró vestida de fantasma, la abuela cayó en cama con un gripazo tremendo.

Y, al llegar la noche, Álvaro estaba igual.

Hasta Mozart, posado en la cabecera de la cama de su amigo, tiritaba, haciendo temblar su destemplado plumaje.

Pasaron unos días fatales en cama, tosiendo, ardiendo de fiebre y levantándose por turnos para darse jarabes y pastillas, y hacerse tisanas el uno al otro.

Y una de esas veces en que vino a traerle un cocimiento de hierbas a su nieto, la abuela, que siempre había sido muy optimista, le dijo entre tos y tos:

—Álvaro, ¿no te espanta imaginar qué enfermedad tan gravísima habríamos pillado si no hubiésemos veraneado este año en Carrascalejo?

Un *pequeño incidente*
Antoni Dalmases

Y O, señor profesor, le aseguro que soy inocente. No quería hacerlo, créame. Aunque todas las pruebas estén contra mí y la clase haya contestado a coro gritando mi nombre cuando usted ha preguntado «¿Quién ha provocado todo este escándalo?», yo no soy el culpable. Se ha producido una cadena de casualidades desgraciadas que, si tiene paciencia, ahora que estamos solos le explicaré.

He llegado a clase unos diez minutos antes de las nueve. Seríamos una docena los que esperábamos bromeando y, sí, lo admito, armando un cierto escándalo. Pero yo estaba tranquilo y sereno. No, lo digo porque ya sé que muchas veces se me acusa de camorrista y atolondrado. Bien, pues digamos que yo alborotaba ni más ni menos que los demás. Entonces se me ha ocurrido (y aquí sí admito la parte de responsabilidad que me corresponde) organizar un partidillo de baloncesto con la papelera. Lo hacemos a menudo, si nos quedamos solos en clase unos minutos, pero entonces ponemos a alguien en la puerta para que avise cuando usted vuelve, y esta vez no hemos sido tan prudentes. El caso es que la idea ha sido mía y he empezado a arrugar papeles para usarlos de pelota. El primero en lanzar he sido yo. He acertado, claro está, porque tengo una cierta práctica, no lo niego. Hemos establecido un turno

39

riguroso y todo el mundo ha hecho su tirada, hasta que me he dado cuenta de que algunos listillos habían movido la papelera para hacer trampa, y he suspendido la competición. Ha empezado una discusión, con acusaciones y gritos, y, en el lío, me he acalorado un poco. Tenía la papelera en la mano, alguien me ha insultado desde un rincón y he perdido el control. Le he tirado la papelera con toda la furia. Ha sido un error, ya lo sé, pero el error más importante ha sido no acertarle, porque me he precipitado y él la ha esquivado. La papelera ha ido a dar en los botes de pintura que hay en el estante sobre las perchas y un par de chaquetas o cuatro, no lo sé, se han llenado de colorines, chorreando pintura. Los propietarios se han dirigido hacia mí enfurecidos y chillando barbaridades. He huido a esconderme tras su mesa y he podido defenderme con los mapas enrollados que siempre están al lado del armario. Los otros se han apoderado de unas sillas y las blandían como domadores de circo ante la fiera. ¡Me acorralaban como si fuera un animal! Aquello me ha encendido la sangre y he atacado. De un tortazo, no sé bien cómo, en el fragor de la batalla, una silla ha hecho trizas el cristal de una ventana y ¡allá va! El estruendo ha paralizado la pelea y hemos corrido todos hacia la ventana. Algunos se han cortado con los trocitos de cristal... ¡Ya me dirá si no son torpes! No..., si yo no los acuso, solamente explico cómo se han herido. Bien, entonces hemos visto que la silla, saltando por la calle, ha ido a parar entre las ruedas de una motocicleta que pasaba. El motorista ha dado una voltereta. ¡Menos mal que llevaba el casco! Ha sido como en el *rugby*, ¿sabe?, cuando se embisten abrazando la pelota... No, ya veo que no se hace una idea... Bien, el caso es que la moto ha ido por un lado y él por otro. Al ver que se levantaba, hemos respirado aliviados, pero sólo un instante, porque enseguida hemos observado que la motocicleta avanzaba unos metros y embestía a la gente que esperaba el autobús en la parada. Yo quería cerrar los ojos, horrorizado, pero no he podido al ver que huían empujándose unos a otros en una carrera loca, procurando refugiarse tras el contenedor de la basura. Ha sido entonces cuando un señor muy alto y una mujer rubia que corrían descontrolados han volcado uno. (¿Qué fuerza tan enorme provoca el miedo, verdad? ¡Hay que ver!) Chillaban los dos, cubiertos de papeles pringosos, envases de plástico y restos de comida. La moto seguía roncando, tirada en la esquina, pero los gritos de la muchedumbre, los espectadores y los heridos, tumbados y de pie, sucios y aturdidos, ahogaban el ruido del motor causante del pánico.

Y en un instante, todos a la vez, han levantado las miradas hacia nuestra ventana y ya no chillaban: ¡rugían! Les hemos visto dirigirse en masa hacia la puerta de la escuela y nos hemos apresurado a proteger la puerta de la clase con sillas y mesas para impedirles el paso y evitar que hicieran un disparate. Nosotros solamente queríamos defendernos y defender la escuela, como es comprensible. Al parecer han entrado en tropel, pero no han llegado ni a la escalera. En la puerta y en el vestíbulo deben de haber embestido a padres y niños que se despedían, llevándose por delante a algún párvulo despistado y más de un bocadillo. Todo eso no lo hemos visto, pero, al parecer, la avalancha ha provocado protestas y alguna palabra más dura de la cuenta que ha desembocado en un enfrentamiento físico dando paso a una batalla campal, hasta que la llegada de la policía ha calmado los ánimos de la multitud. Ha sido entonces cuando, en tropel, unas ochenta o cien personas se han dirigido hacia fuera y señalaban nuestra ventana gritando todos a la vez, con malos gestos y caras agrias, cosas que no entendíamos. Y en aquel momento ha llegado usted, que ya sabe el resto...

Pero yo le aseguro, señor profesor, que soy inocente. Si los demás me han señalado con sus dedos chivatos, ha sido porque ya es costumbre y me tienen rabia desde siempre. Y ahora usted quiere castigarme ¡y habla hasta de expulsarme de la escuela...! Total, porque todos me tienen manía y aún no me han perdonado aquella broma de abrir todas las duchas del gimnasio para llenarlo de agua. Yo quería romper la rutina y pasar de los saltos de altura a un partido de *waterpolo*, que es un deporte tan bueno como cualquier otro, pero, ¡claro!, si lo digo yo ya está mal... Al fin y al cabo, con aquella máquina que usaron los bomberos quedó seco en unas pocas horas y... más limpio que nunca, si quiere que le diga la verdad. Admito que la idea no salió como quería, pero no creo que sea para tanto. Como la torre de sillas que encendí en el patio, a final del curso pasado.... Mi intención era explicar cómo son unas fallas y ellos me lo agradecieron corriendo a buscar al director y armando un escándalo de mil demonios... En fin, tantas y tantas ideas mal comprendidas que se han vuelto contra mí injustamente. Porque usted tampoco me entiende y nadie me entiende... Mis padres también dicen que no me entienden y que ya no saben qué hacer. Por cierto... No les dirá nada, ¿verdad? No vale la pena molestarlos por este pequeño incidente de hoy...

Una linda foca negra
Andrés García Vilariño

*U*NA *linda foca negra*
—*tutuá, tutuá*—
mar a mar atravesó
—*tutuá, tutuá*—,
la trajeron desde el Polo
a Madrid en avión
—*pompón, pompón*—,
—*tutuá, tutuá*—.

La mamá, que la quería
—*tutuá, tutuá*—,
mar a mar atravesó
—*tutuá, tutuá*—
y se encontró con un oso
muy peludo y barrigón
—*pompón, pompón*—,
—*tutuá, tutuá*—.

Y aquí se acaba la historia
—*tutuá, tutuá*—
de una linda foca negra
—*tutuá, tutuá*—,
la mamá que la quería,
y el oso barrigón.

Daniel se estaba vistiendo. Tarareaba la canción que habían escenificado en clase el día anterior. Le hacía gracia. Se reía solo, *tutuá, tutuá.*

En la clase el profe había actuado como un verdadero director. Todos y cada uno tuvieron que hacer el papel de la linda foca negra. ¡Qué risa cuando el propio profe se pintó unos bigotitos y meneaba el trasero, al mismo tiempo que los brazos, de derecha a izquierda: *tutuá, tutuá!*

Daniel se calzó las deportivas sin detenerse a anudar los cordones. La canción seguía sonando en su mente y le obligaba a acompasar, *tutuá, tutuá,* todos sus movimientos. Se enderezó. Cantó de nuevo, mirándose en el espejo del armario, y recordando la figura entrañable de su rechoncho profesor:

> *Una linda foca negra*
> *—tutuá, tutuá—...*

Abrió la ventana para ventilar el cuarto. Amanecía un día espléndido *—tutuá, tutuá—,* y salió disparado al pasillo. Sentía como cosquillas en el corazón y alas en los pies. En el cuarto de aseo sólo permitió que el agua fría saludase tímidamente sus ojos, cuando oyó la voz de su padre:

—Daniel, usa el agua caliente y lávate bien, anda.

¿Qué hacía su padre en casa? ¿No tenía trabajo? El olor del pan tostado y el café caliente, olor de desayuno familiar, le hizo soltar un gozoso suspiro y la canción reapareció en su mente, mientras el agua en sus dedos, tibia como a él le gustaba, recorría minuciosa *—tutuá, tutuá—* los intrincados vericuetos de las orejas y los repliegues bajo la mandíbula.

Desde el mismo cuarto de aseo, preguntó alzando la voz:

—Papá, ¿no vas a trabajar?

La voz de su padre llegó poderosa y rápida:

—Pero, Daniel, hijo... Hoy es sábado. Ni tú ni yo tenemos clase.

El padre de Daniel era biólogo y daba clases en la Escuela de Enfermería de la ciudad. La madre de Daniel, en cambio, tenía que acudir a la oficina también los sábados, aunque solamente por la mañana.

Cuando Daniel se sentó a desayunar al lado de su padre, en la mesa de la cocina, el tostador ya estaba soltando el pan calentito, listo para recibir generosas dosis de margarina y mermelada. Empezó a untar el pan moviendo la mano al compás —*tutuá, tutuá*— de la pegadiza canción.

—¿Qué haces, Daniel? ¿A qué se debe esta alegría mañanera?

Daniel, antes de responder, hizo bajar su primer bocado al esófago. Ya con la boca libre, pudo responder, meneando nuevamente el cuerpo:

—Oh, nada especial. Una canción que cantamos ayer en clase. No se me va de la cabeza.

—Mira —le dijo su padre, mostrándole el periódico—, ¿qué te parece si nos acercamos al puerto en bici? De paso podemos comprar algo de pescado fresco.

Daniel pegó un salto en la silla. Faltó un pelo para que desparramase sobre la mesa el contenido de su taza, leche con cacao.

Dejó la tostada sobre el mantel, se repasó los labios con la servilleta y le arrebató literalmente el periódico a su padre. Con ojos incrédulos, pero festivos, leyó en voz alta:

UNA FAMILIA DE FOCAS
EN LA CALA DE LORBÉ

(Sada. De nuestra delegación). Una familia de focas negras está sembrando la preocupación entre los propietarios de las bateas de mejillón en la cala de Lorbé. Los simpáticos mamíferos marinos parecen estar a gusto en nuestra costa. Así como la presencia de delfines en invierno, en las aguas de As Mariñas, es relativamente frecuente, casi cíclica, no ocurre lo mismo con las focas negras, juguetonas e inquietas, objeto de la curiosidad de muchos y de la preocupación de bastantes.

Según los biólogos del Instituto Oceanográfico de A Coruña, las focas pueden haber emigrado en busca de aguas más limpias, a causa de los últimos y múltiples vertidos de petróleo en el Mar del Norte.

—¡Genial, papá!

Daniel le devolvió el periódico a su padre y prosiguió:

—Es la canción, ¿no ves? ¡La foca negra y su madre han venido a visitarnos! ¡Uauuu! *Mar a mar atravesó, tutuá, tutuá.*

Daniel rompió a cantar. Pero su padre le atajó:

—¡Eh, calma, calma...! Primero, el desayuno. Luego, el chándal y el paseo en bici. Así podrás ver a tu foca negra.

A Daniel, aquella mañana de sábado, le sobró tiempo para casi todo. Su desayuno, que siempre tomaba bien, casi desapareció mágicamente, tal fue la velocidad de sus tragaderas. Ponerse el chándal y estar pedaleando en la bici y escuchar a su padre chillando detrás, incapaz de seguir aquella explosión de ritmo y alegría, fue también cosa de un segundo:

—¡Daniel, cuidado, hijo!

La bici de Daniel iba entonando canciones —*tutuá, tutuá*— mientras bajaba las curvas hacia la cala de Lorbé. El pequeño muelle estaba atiborrado de curiosos. Daniel avistó entre ellos a su profesor y a dos compañeros de clase. Se saludaron como los jugadores de baloncesto, batiendo las palmas de sus manos en alto, y, como movidos por el mismo resorte, sin previo acuerdo, formaron un corro cantor que levantó las risas de los presentes y el vuelo, un poco aturdido, de media docena de gaviotas:

> *Una linda foca negra*
> —*tutuá, tutuá*—
> *mar a mar atravesó*
> —*tutuá, tutuá*—,
> *la trajeron desde el Polo*
> —*tutuá, tutuá*—
> *en un barco de vapor.*

Compañeros de viaje
Alfredo Gómez Cerdá

AL señor Fernández le tocó la ventanilla. Al señor García le tocó al lado del señor Fernández. No se conocían de nada. Era la primera vez que viajaban de Madrid a Barcelona en el puente aéreo.

El señor Fernández había trabajado muchos años en un cine, de acomodador; pero hacía ya cuatro que el cine se había convertido en un bingo y que él se había quedado sin trabajo. Ya se le había agotado el subsidio de paro y malvivía de alguna que otra chapuza. El señor Fernández era pobre. Viajaba a Barcelona a la boda de su hija, que le había enviado días antes el pasaje del avión, y estaba muy preocupado porque ni siquiera tenía un traje que ponerse para ir a la boda.

El señor García trabajó muchos años en un restaurante muy bueno; pero el dueño del restaurante se lo vendió un día a un banco y él se quedó en la calle. A su edad le resultaba difícil encontrar un nuevo empleo y malvivía de unos ahorrillos, que estaban a punto de agotársele. El señor García era también pobre. Viajaba a Barcelona para participar en un famoso concurso de televisión, de preguntas y respuestas. Si superaba la prueba se embolsaría unas pesetas, que le vendrían muy bien para tirar durante unos meses.

El puente aéreo Madrid-Barcelona apenas dura cincuenta minutos. A pesar de ello, el señor Fernández y el señor García mantuvieron una conversación, tan animada como falsa:

—Soy dueño de una cadena de cines —mentía el señor Fernández.

—Yo poseo más de diez restaurantes —mentía también el señor García.

Y cada uno de ellos se imaginaba que su acompañante era una persona muy rica, cargada de negocios prósperos y, por supuesto, de dinero.

En el aeropuerto de Barcelona, junto a una cinta transportadora, el señor Fernández y el señor García esperaron a que apareciesen sus equipajes. Curiosamente, las maletas de ambos eran muy parecidas.

Ya en el gran vestíbulo del aeropuerto, dejaron las maletas en el suelo y se despidieron, dándose un abrazo. Luego, el señor Fernández se hizo el despistado y cogió a propósito la maleta del señor García. El señor García, que pensaba hacer lo mismo, sintió mucho gusto al ver cómo su compañero se *confundía* de equipaje.

Los dos se separaron, imaginándose que la maleta que llevaban estaba cargada de innumerables tesoros.

Por la noche, en casa de su hija, el señor Fernández abrió la maleta del señor García. Los tesoros se convirtieron en desilusión: sólo había ropa vieja y remendada y una maquinilla de afeitar. También se encontraba en la maleta el último traje de camarero del señor García, el que utilizaba antes de que lo echasen del restaurante.

Por la noche también, en el cuarto de un hotel, el señor García abrió emocionado la maleta del señor Fernández, imaginándose que encontraría dentro riquezas incontables. Pero lo que halló le dejó boquiabierto: sólo había ropa vieja y un neceser parecido al suyo, con un cepillo de dientes y una maquinilla de afeitar. Entre la ropa encontró también un viejo y arrugado programa de mano, de los que daban en el cine antiguamente. El señor Fernández lo guardaba con nostalgia, pues era de la película con la que había empezado a trabajar de acomodador en el cine, hacía ya mucho tiempo, en el año 1963. La película se titulaba *Los pájaros*, y la había dirigido el famoso Alfred Hitchcock. En el programa se veía a la rubia protagonista corriendo, perseguida por una bandada de pájaros enfurecidos.

A pesar de la desilusión de los hallazgos, nunca se arrepintieron el señor Fernández y el señor García de haberse cambiado las maletas en el aeropuerto.

Al día siguiente, el señor Fernández acudió a la boda de su hija vestido con el flamante traje del señor García, que por supuesto nadie identificó como de un camarero. El señor Fernández se sintió muy feliz llevando del brazo a su hija por el pasillo de la iglesia.

También al día siguiente, el señor García acudió al concurso de televisión. Y consiguió ganar el premio al acertar la última y más difícil de las preguntas:

—¿En que año se estrenó la película *Los pájaros?* —preguntó el locutor del programa.

—¡En 1963! —respondió eufórico el señor García, recordando el viejo programa de mano del señor Fernández.

También en el puente aéreo regresaron un día después a Madrid el señor Fernández y el señor García. No se encontraron, porque tomaron distintos aviones.

Eso sí, el señor Fernández contó a su compañero de viaje que era dueño de una cadena de cines. El señor García, por su parte, contó también a su compañero de viaje que poseía más de diez restaurantes.

Si se cambiaron o no las maletas al llegar a Madrid, es cosa que no se sabe.

Galería de ex compañeros ilustres.
Hoy: Fermín Biela
Fernando Lalana y José María Almárcegui

BIELA era el jefe de los internos. Y eso era tanto como decir el jefe del colegio.

Biela era un verdadero ciclón viviente. Una vez que tomaba una de sus descabelladas decisiones —y las tomaba continuamente— resultaba imposible de detener. Biela era un espíritu libre, un hombre irreductible. Hacía en todo momento lo que creía que debía hacer, sin pararse a pensar en las consecuencias de sus actos.

Biela despreciaba el peligro físico; despreciaba los castigos; despreciaba las amenazas de expulsión; amaba el riesgo y la aventura.

Era John Wayne, Douglas Fairbanks y Johnny Weissmuller juntos.

Cuando aquel mes de junio, cercano ya al final del curso, el hermano Ambrosio, un recién llegado, cometió la imperdonable estupidez de encerrar a Biela en la carbonera del colegio, tal vez pensaba que semejante castigo obligaría a aquel díscolo y corpulento alumno a meditar sobre su mal comportamiento. El hermano Ambrosio ignoraba que Fermín Biela no meditaría sobre sí mismo ni pasando el resto de su vida en un monasterio trapense.

Y cuando Biela se hartó de soportar tan insensato

cautiverio —unos diez minutos después de iniciado—, decidió que ya era hora de hacer algo por recuperar la libertad.

Contempló el enorme montón de carbón allí almacenado. Contempló las dos enormes calderas que durante el invierno proporcionaban calefacción al colegio. Vio una pala apoyada en un rincón. Y rió por lo bajo.

Media hora más tarde, mientras en la calle los termómetros marcaban treinta y seis grados Celsius a la sombra, los radiadores de todas las aulas alcanzaban los noventa y las conducciones de la calefacción temblaban apocalípticamente llenando el aire con un campaneo aterrador.

—¡Dios todopoderosooo! ¿Qué está pasando aquí? —vociferaba el hermano Avelino, paseando angustiado sus ciento veinte kilos arriba y abajo del pasillo de segundo de bachiller.

—¡El fin del mundooo! ¡Ha sonado la horaaa! ¡Arrepentíooos! —clamaba a voz en grito el hermano Basilio desde su silla de ruedas, con toda la energía de sus noventa y tres años.

—¡Las ventanas...! —suplicaba don Leoncio a sus alumnos, sudando como un trompetista de *jazz*—. ¡Abrid las ventanas o pereceremos!

Pero las ventanas ya estaban abiertas y la situación, lejos de mejorar, amenazaba con tornarse asfixiante.

Diez minutos más tarde el padre director, con la sotana arremangada y abierta hasta el ombligo como la camisa de un legionario, dio orden de desalojar el colegio y llamar a los bomberos. Para entonces, las válvulas de los radiadores dejaban escapar impresionantes chorros de vapor a presión.

El pánico se había apoderado del alumnado al completo.

Sólo entonces cayó el hermano Ambrosio en la cuenta de cuál podía ser el origen de aquel desaguisado.

Corrió hacia la carbonera resoplando como una locomotora y temiéndose lo peor. Introdujo nerviosamente la llave en la cerradura y, al abrir la puerta, el golpe de calor que escapó del cuartucho le hizo retroceder varios pasos.

—¡Bielaaa! —gritó el hermano, incapaz de acercarse más—. ¡Bielaaa! ¿Sigue usted ahííí? ¿Se encuentra bien?

Fermín Biela apareció entonces bajo el marco de la puerta, pala en mano, en calzoncillos, sudando a todo sudar, tiznado de carbón como el fogonero de un transatlántico. Riendo a carcajadas.

Alzó la mano derecha hasta la frente y saludó militarmente.

—¡Sin novedad, hermano! —exclamó.

Nadie logró acercarse a las calderas, que tardaron casi doce horas en apagarse por sí solas.

El edificio del colegio se recalentó de tal forma que durante dos días fue imposible impartir clases en él. Hubo que alojar a los internos en un albergue del ayuntamiento y a todos los curas, incluido el hermano Basilio, en la pensión Holgado, en la plaza del Portillo.

Biela, por su parte, se refugió en el cine Fuenclara aprovechando su amistad con el acomodador, un antiguo conserje del colegio. Permaneció allí escondido siete días con sus noches, disfrutando de la refrigeración; y salió enamorado hasta los huesos de Ava Gardner tras haber visto *Mogambo* veintiocho veces consecutivas...

La princesa triste (cuento moderno a modo de cuento antiguo)
Enric Larreula

ÉRASE una vez un rey y una reina que tenían una hija. La muchacha era joven, bonita y feliz. Pero un día, sin que nadie supiera el motivo, le afectó una extraña enfermedad. En poco tiempo perdió su natural alegría, y su talante se tornó triste y decaído. Ya nada de lo que le había divertido antes le hacía gracia o le interesaba lo más mínimo. Sólo bostezaba, suspiraba o dormitaba. A la pregunta de «¿Qué te duele?», sólo respondía: «Nada, pero todo es tan triste...». Y no volvió a sonreír más.

Todos los doctores que la atendieron coincidieron en su diagnóstico: la princesa sufría una crisis aguda de tristeza y aburrimiento, pero tan fuerte que incluso podría llegar a afectar su salud.

A partir de aquel día los más prestigiosos médicos del reino la visitaron e intentaron poner remedio a su mal. Pero por más pastillas, cataplasmas e infusiones que le recetaron, la princesa no mejoraba en absoluto. Al contrario, cada día estaba más amodorrada.

Sus padres hicieron todo lo que pudieron para divertirla, pero fue en vano. Ni las fiestas más solemnes, ni los bufones y saltimbanquis consiguieron sacarla de su más profundo desinterés y hastío.

Tanto fue así, que al final su padre, el rey, desesperado, decidió anunciar a los cuatro vientos a redobles de tambor la propuesta real: «La mano de la princesa a quien sea capaz de arrancarle una sonrisa».

Al cabo de poco tiempo en el reino todo el mundo hablaba del aburrimiento de la princesa. Y como era de esperar, no tardaron en llegar a palacio los primeros candidatos para animarla: modistas, joyeros, peluqueros, cocineros, perfumistas y personajes de todos los oficios la visitaron ofreciéndole sus más preciados servicios y productos con la esperanza de despertar su interés y sacarla de su modorra. Pero todo fue inútil, la muchacha no reaccionaba y cada vez estaba más alicaída.

Aquel problema parecía no tener solución, y el rey y la reina, viendo a su hija tan triste, también se entristecieron mucho.

Pero cuando ya parecía que habían perdido todas las esperanzas, una mañana el chambelán entró en el despacho del rey y le dijo:

—Majestad, un hombre joven acaba de llegar a palacio y solicita ver a la princesa.

Una pizca de esperanza iluminó de nuevo el rostro del rey.

—¿Ha dicho si puede curarla?

—Pues no lo sé, Majestad, porque me han dicho que cuando habla cuesta un poco entenderle.

—En fin, por probar... Llevadlo a la habitación de mi hija.

Y el rey, la reina, los doctores y un buen número de cortesanos se dirigieron a la habitación de la princesa. Ésta, como de costumbre, estaba sentada en una silla, bostezando y sin ningún interés por la nueva visita que le anunciaron.

—Hacedlo pasar —dijo el rey con solemnidad.

La puerta se abrió y un joven vestido con gran sencillez entró haciendo una gran reverencia...

Todo el mundo, excepto la princesa, lo observó con mucha atención. De pronto, el muchacho se incorporó y, ante la sorpresa general, soltó una sonora carcajada.

—Ja, ja, ja... Pero qué suerte más grande la mía de poder encontrar una persona como vos, princesa... ¡Por fin...! Je, je, je... —y venga a reír.

Naturalmente, ante aquella manera tan inesperada de proceder, se produjo un gran desconcierto entre los presentes, incluso la muchacha levantó la mirada del suelo con una cierta curiosidad.

—Pero, ¿cómo osáis presentaros de este modo? —le increpó el rey con severidad—. ¿Quién sois?

Pero el joven continuó riendo a mandíbula batiente:

—¡Ay! Señor rey... Ja, ja, ja..., qué gracia que tenéis cuando habláis... Ji, ji... Soy un trotamundos... Y vengo de muy le... jo... jo... jos...

—Pero ¿podéis curar a mi hija, o no? —exclamó el rey, indignado.

—¿Curar a vuestra hi... ja, ja, ja...? Ah, no lo sé, Ma... je, je, jes... tad... Ay, que me muero de risa... Ja, ja, ja... No se me había ocurrido... Je, je... En realidad... Ji, ji, ji..., yo quería conocerla para ver si ella podía curarme a mí... —el rey y todos los presentes estaban sorprendidos de la desfachatez o la ingenuidad de aquel joven. Él prosiguió—: Je, je, je... Es que yo padezco exactamente la dolencia contraria a la que sufre ella, ¿sabéis...? Jo, jo, jo... Estoy aque... ja, ja, ja... do de un ataque crónico de risa... Me río por cualquier cosa... Jo, jo, jo... Todo me hace gracia... Es horroroso, creedme, y sufro mucho, porque de tanto reírme acabo con un gran dolor en las me... ji, ji, ji... llas... Es que sólo de pensarlo... Ja, ja, ja... Y todo el mundo se cree que estoy ma... ja, ja, ja... reta perdido y no quieren saber nada de mí... Ja, ja, ja, qué divertido... Por eso cuando me he enterado... Ay, que no puedo más..., de que la princesa estaba siempre triste... Ji, ji, ji..., perdonad, pero es que... Ja, ja, ja..., me ha parecido que ella podría ayudarme... Ja, ja, ja..., y por eso...

Y sin poder aguantar más las sonoras carcajadas, el joven acabó sujetándose la barriga y revolcándose por los suelos fuera de control.

Ante tan inesperado espectáculo, todos empezaron a mirarse y a sonreír, pues ya sabemos que las carcajadas se contagian. Y primero empezaron con sonrisitas, pero poco a poco, unos por otros, terminaron desternillándose todos de risa. Incluso el rey, que en un principio se había enfadado mucho, se echó a reír cuando vio que su mujer, la reina, se dejaba caer en la mullida alfombra, porque de tanto reír las piernas no la sostenían.

Cuando por fin pudo volver a articular algunas palabras, el joven se dirigió directamente a la muchacha y le dijo:

—Ay, perdonad, princesa... Ja, ja, ja..., pero es que... es todo tan gracioso... Ji, ji, ji... Es que se me acaba de ocurrir... Jo, jo, jo... que para remediar nuestros males... ¡Ay!, que no puedo más..., podríamos pasarnos las tardes ju, ju, jun... tos explicándonos nuestras penas... Quién sabe... Ja, ja, ja..., quizá a vuestro lado al cabo de un tiempo yo... aprendería a aburrirme un poco y quizá vos a sonreír. ¿No os parece que lo podríamos probar...? ¿Eh, je, je...?

Mientras tanto el rey, la reina, los doctores y la corte entera reían a pierna suelta, sin poder parar, cogiéndose los unos a los otros, abrazándose y con los ojos llenos de lágrimas.

La princesa, desconcertada, intentó aguantar porque se había acostumbrado tanto a que todos la tuvieran por triste que hasta por un cierto orgullo personal no quería dar su brazo a torcer. Incluso, a pesar de las ganas irresistibles de reír que le entraban por momentos, se mordió los labios para no ceder, y menos allí, delante de todo el mundo, qué vergüenza... Y aguantó. Aguan... tó... A... guan... Pero de repente se puso colorada, colorada, colorada y soltó una carcajada tan sonora y estridente que todos los presentes se quedaron con la boca abierta.

—¡Se ha reído! ¡La princesa se ha reído! —gritaron todos llenos de júbilo. Y se abrazaron y se felicitaron y rieron, claro, rieron mucho.

—Jo, jo, jo... ven —dijo el rey sin poder parar de reír—. Ja, ja, ja... Me habéis convencido... Ji, ji, ji... Habéis conseguido devolver la alegría a mi hi... ja, ja, ja... ¿A qué os dedicáis...? Ja, ja, ja...

—A nada, Ma... je, je, jes... tad. Como no paro de reír, no puedo ni trabajar... Ji, ji, ji...

—Jo, jo, jo..., qué divertido... Pues bien, desde hoy, jo, jo, jo... ven, os nombro carca... je, je, je... ador real. Y que no se hable más del asunto... Eh, eh... Y tal como prometí, si mi hi... ja, ja, ja os acepta... ¡Ah!, qué dolor de barriga..., podréis casaros con ella.

Pero la princesa no pudo responder de tanto como reía, y tuvieron que esperar a que se calmara un poco y pudiera decir «Sí», y eso con la cabeza.

Al cabo de unos días, el joven y la princesa se casaron y vivieron muy felices el resto de sus vidas. ¡Ah!, y, sobre todo, muy divertidos.

El *lío de mis pantalones*
Braulio Llamero

NUNCA debimos pararnos ante aquel escaparate. Y nunca debió mi madre preguntar que si me gustaba alguno de aquellos pantalones vaqueros. A ella se le puso cara de terror cuando le dije que sí y le señalé el que más.

—¿Ése?

—Sí.

—Pero, hijo, ¿no ves lo que cuesta?

—¿Es caro?

—¡Carísimo! Por ese precio, sé dónde podemos comprar cuatro vaqueros. Y bien buenos y bonitos.

—¡Pero no serán *Wayne!*

—¿Y eso qué es?

—La marca. Parece mentira que no lo sepas. Sale en la tele todos los días. Son los mejores vaqueros que hay. Y no se rompen nunca. En la tele los golpean contra el suelo, les pasa un camión por encima, los tiran por un precipicio... Y, nada, no les pasa nada. Están siempre como nuevos. Es lo mejor de lo mejor, mamá.

Nada. No la convencí. Dijo no sé qué de crisis, y de ahorro, y de los rollos esos que siempre dicen los mayores para no comprar lo que queremos. Me agarró de un brazo y me obligó a ir con ella a una tienda feísima. Tenían vaqueros en oferta. Por 999 pesetas daban uno. Por 1.999, tres.

Miré a mi madre horrorizado:

—¿No estarás pensando en comprarme *ésos?*

—¿Qué tienen de malo estos pantalones, si puede saberse?

—¡No son de marca conocida! ¡Saldrán malísimos!

—Y tú no eres más que un mocoso presumido. Ya veremos si salen buenos o malos.

Me los hizo probar. Yo estaba rojo de vergüenza. ¡Mira que si pasaba algún amigo y me pillaba con *aquello!*

—¿Te quedan bien?

—¡¡No!!

—No seas mentiroso. Te están perfectamente. Nos llevaremos tres, para aprovechar la oferta.

—¡No me los pondré jamás! —chillé, hecho una furia.

—Pues irás desnudo por la calle.

A partir de aquel momento anduve de un humor de perros. Me ponía malo pensar en el día siguiente. Porque para colmo mi madre, ¡que es ASÍÍÍ... de cabezona!, se había empeñado en que al día siguiente tenía que ir al cole con los pantalones nuevos. Le respondí que no, y que no, y que no. Pero, por desgracia, bien sabía yo quién se salía siempre con la suya.

Pasé una noche horrible, terrible, tenebrosa, fatal e interminable. En cuanto cerraba los ojos, tenía una pesadilla. Soñaba que llegaba al colegio y que todos vestían los preciosos y duros pantalones *Wayne.* Y al verme a mí, con mis pantalones feos y blandengues, se mataban de risa:

«¡No tiene *Wayne*, no tiene *Wayne!*»

«¡Qué paleto! ¡Vaya pantalones...!»

«¡Uuuuhhhh...! ¡Qué feo está Miguelín!»

Y así todos.

En otro sueño, me quitaban los pantalones y le hacían lo que a los *Wayne* en los anuncios. O sea, los golpeaban contra el suelo: y se rompían en pedazos. Los tiraban bajo las ruedas de un camión: y quedaban hechos un trapo inservible; los lanzaban por un precipicio: y se deshacían en el aire como polvo.

—¿Ves? Tus pantalones no valen un pimiento.

Se reían. Todos. Y yo, sin pantalones y muerto de vergüenza, sólo deseaba que hubiera un terremoto para que la tierra me tragara.

Por la mañana, aún hice un último intento para salvarme del desastre.

—Por favor, mamá, deja que me ponga otros pantalones.

—¿Por qué?

—En el colegio se burlarán de mí...

—¿Por qué?

—¡¡No son de marca conocida!! ¿Es que no te das cuenta? —le dije con desesperación.

—Eso es una solemne tontería. Los chicos de hoy sois inaguantables con las marcas. ¿Quién se va a fijar en eso? Nadie...

Estaba claro, no había salvación. Era inútil pelear. El destino quería que hiciera el ridículo, y lo haría.

Arrastraba los pies camino del colegio, para retrasar un poco lo inevitable. Abrigaba la esperanza de llegar con la clase ya empezada. Así no le daría tiempo a nadie a fijarse en mi pantalón.

Pero los días negros son negros hasta el final. Cerca de la puerta del colegio me encontré con Rubén, con Rebeca y con Blas. Eran de mi clase. También ellos, por lo visto, habían ido arrastrando un poco los pies. Y también tenían cara de sueño y de bastante malhumor.

Nos miramos con sorpresa. Y entonces, los cuatro a

la vez, nos fijamos en que todos estrenábamos pantalones vaqueros.

—¿Son *Wayne?* —me preguntó Rebeca, un poco colorada.

—No. ¿Y los tuyos?

—Tampoco. Son de unos malísimos y muy baratos que mi madre...

—¡Los míos igual!

—¡Y los míos!

Todos eran de la marca fea y de los de «tres por 1.999 pesetas». Sólo que, de pronto y no sé por qué, se nos marchó el enfado y nos dieron ganas de reír. Y entramos muertos de risa en el colegio. Y los demás, al vernos tan contentos, ni siquiera se fijaron en la marca de los pantalones.

¡Menos mal!

Gota de Agua
Torcuato Luca de Tena

¡HOLA, soy Gota de Agua! Durante miles y miles de siglos he vivido en las profundidades marinas, en un hoyo profundísimo que hay en el océano, enfrente de China, donde nunca llegaba la luz del sol, y teniendo que soportar en mis espaldas el peso insoportable de toda el agua que había encima de mí. Pero hace exactamente nueve años subí a la superficie y todo cambió. Lo anterior no era vivir. Por eso, aunque soy más vieja que el mundo, cuando me preguntan que qué edad tengo contesto que nueve años, que me parece una edad estupenda.

El caso es que estando allá abajo, un día, el suelo del mar empezó a temblar y el agua a calentarse y las rocas a agrietarse. Parecía que un animal gigantesco estuviese bajo tierra y quisiese asomarse al océano. Y así fue. Pero no pertenecía a la familia de los pulpos gigantes ni de las orcas asesinas ni de las ballenas azules, sino a la de los volcanes. Entre grandes temblores y espasmos, y ronquidos como truenos, empezó a crecer primero como un tumor, después como una montaña sumergida y tanto se estiró que alcanzó, desde dentro, a la superficie del mar, la perforó y se convirtió en isla, donde lanzaba hacia el cielo grandes rocas como cañonazos y vomitaba lava y escupía chispas de fuego. Entre las muchas cosas que arrastró consigo desde los fondos marinos estaba yo, Gota de Agua, que subí abrazada a una burbuja. Y al asomarme fuera del mar, me llevé la gran sorpresa al conocer los otros elementos, como el aire, la tierra y el fuego, porque era tan ignorante que no sabía que existían.

Apenas llegué a la superficie, una fuerza irresistible me arrastró y formé parte de una ola. Acostumbrada a la quietud y al silencio y a la oscuridad de la sima oceánica en la que había vivido hasta ahora, quedé aterrada y más al ver que avanzábamos a toda velocidad hacia la costa de la isla volcánica, donde no tendríamos más remedio que estrellarnos. Y así fue, con un estruendo espantoso, pero no pasó nada, sino que dejé de ser gota de agua y me convertí, junto a otras compañeras mías, en espuma de mar. Quedamos acomodadas en el hueco de una roca y sentí por primera vez las caricias del sol. ¡Oh, qué sensación tan agradable! Poco a poco me quedé dormida, desaparecí de la roca, dejé de ser espuma y durante muchísimo tiempo no volví a experimentar ninguna sensación. ¿Qué me había ocurrido? Como era la primera vez que me pasaba esto, no entendí que me había evaporado, pero no para convertirme en nube sino para incorporarme a esa vaga humedad que siempre hay en el aire para que no esté demasiado seco y que, de noche, se posa sobre los pétalos de las flores, convertida en rocío, para lavarles la cara.

Y tras gota y espuma, rocío fue mi tercera naturaleza. Después tuve muchísimas más. Y me llamaron vapor, granizo, nube, lluvia, hielo, escarcha y copo de nieve. Y, también, lago, río, cascada y manantial.

Como rocío, lo fui de una hortensia y era cual una lágrima diminuta que resbalaba sobre el pétalo como sobre una mejilla. Pero como esta flor tiene tantísimos pétalos, en uno me deslizaba como en un tobogán, en otro me entretenía haciendo equilibrios colgada de su borde y en otro me quedaba acurrucada en un pliegue esperando la hora de la evaporación que nos llega, queramos o no queramos, como a los niños el sueño. Y al despertar, la gran sorpresa, porque lo mismo somos agua de una manguera regando un jardín de verano, que nieve sobre Alaska, iceberg de hielo en Canadá o lago de agua caliente en una estación termal del sur de Francia.

Mi primer gran experiencia fue participar como nube en un gran viaje sobre Europa. Mis hermanas, las otras gotas de agua convertidas en vapor y yo misma parecíamos vestidas con trajes de gasas. Cruzamos cadenas de montañas cuyas cumbres eran más altas que nuestra nube, sobrevolamos bosques inmensos, ciudades preciosas, ríos que, desde nuestra altura, parecían grandes serpientes y muchos viñedos, trigales y sembradíos. Cuando al fin llovimos, iniciamos un viaje distinto. Si el primero fue por el aire, el segundo, por tierra, en la corriente de los ríos. Y mis compañeras y yo no podíamos menos de sentirnos orgullosas de los inmensos beneficios que reportamos a nuestros hermanos los hombres y mujeres de la Tierra. Al llover, lavamos su aire de los gases inmundos de sus automóviles y los humos de sus fábricas, limpiamos sus calles, penetramos en su hogares en forma de agua corriente por sus grifos, para que se limpien ellos mismos y laven su ropa, fructificamos sus campos, engordamos sus frutos, alimentamos su pesca, apagamos su fuego, calmamos su sed. ¿Qué más se nos puede pedir? Pero yo, Gota de Agua, colaboro con gusto porque me encanta viajar por ríos, corrientes marinas y nubes. Y hoy, que cumplo nueve años, pienso que nadie ha viajado más, en menos tiempo, que yo, desde aquel día en que en un abrir y cerrar de ojos fui burbuja, gota, ola, espuma y vapor. Y también porque me gusta hacer el bien a los demás. Y en esto a mis hermanas y a mí no nos gana nadie.

El espejo sabio
Pilar Mateos

PARA saber cómo iba a ser de mayor, el primero de los hermanos se miró en el espejo. Y vio a un futbolista, guapo y sonriente, firmando autógrafos en los alrededores del estadio.

—¡Qué estupendo! —exclamó loco de alegría—. Cuando se lo cuente a mis amigos, no van a creérselo.

Y toda la familia se alegró con él, porque ser futbolista era lo que más anhelaba el hermano mayor.

Enseguida se miró en el espejo el hermano mediano. Y vio a un joven guitarrista que conmovía con su música el corazón de las gentes.

—¡Lo que yo quería! —balbuceó emocionado—. ¡Ser el mejor guitarrista del mundo!

Y toda la familia lo celebró con él, porque la música era lo que más le gustaba al hermano del medio.

Después le tocó el turno al hermano pequeño. Y en el espejo se reflejó un hombre pálido, de mirada huidiza, que se deslizaba entre las sombras, ocultándose como un ladrón.

Y toda la familia se quedó consternada, porque estaba convencida de que aquel espejo no se equivocaba jamás.

Lo había construido el inventor cincuenta años antes. Y desde entonces, ni los niños ni las niñas de la ciudad tuvieron que molestarse en planear lo que iban a ser de mayores.

—Tú, corresponsal de guerra —decía el espejo—. Y tú, médico sin fronteras. El otro será un mago de los ordenadores. Aquél incendiará los bosques y terminará en la cárcel. Y el hermano pequeño será un ladrón.

—Pues a mí no me extrañaría —dijo la madre—, porque ayer lo sorprendí robándome unas monedas del bolsillo de la chaqueta.

Como eso era verdad, el hermano pequeño apenas se atrevía a levantar los ojos. Y el paso de los días demostró que el espejo estaba en lo cierto.

El hermano mayor empezó a entrenarse tenazmente en los campos de fútbol. El mediano se dedicó con toda el alma a estudiar la guitarra. ¿Y qué hacía entretanto el más pequeño? Pues disponer de los patines ajenos como si fueran propios y estrenar las botas antes de comprarlas.

—Es un ladronzuelo —comentaba la gente—. Y lo atraparán antes o después.

El hermano pequeño iba sintiéndose cada vez más triste.

Hasta que una tarde oyó hablar a unos marineros del nieto del inventor. Y de un espejo sabio que acababa de fabricar, cien veces más fiel que el de su abuelo.

El hermano pequeño se puso a buscarlo por todas partes.

—Ese nieto no existe —lo desanimaba la gente—. No es más que un cuento de marineros.

—Pues dicen que ha construido un espejo mejor que el de su abuelo. Dicen que el que incendiaba los bosques se miró en él. Y ahora es el jefe de los bomberos.

Decían, también, que aquel nieto inteligente andaba navegando por los mares del mundo, libre y solitario,

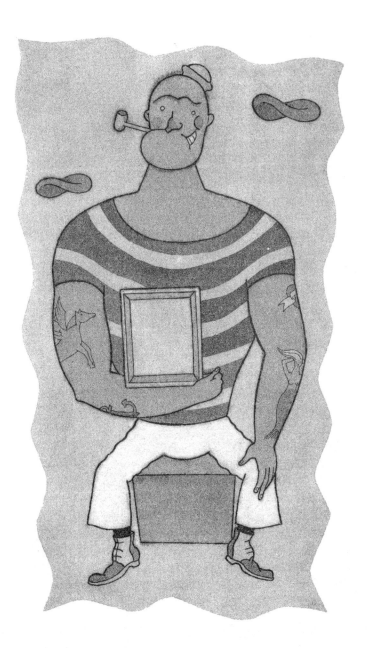

cantando coplas de sirenas y de delfines. Pero sólo los niños y los marineros creían en él.

Era tan difícil de encontrar que, si querían noticias suyas, los niños y las niñas no tenían más remedio que imaginárselo arriando las velas en el puerto, o afeitándose con esmero, frente a un espejo insignificante, la larga barba de la travesía, antes de saltar a tierra.

Y así, tal como se lo imaginaba, se lo encontró un día el hermano pequeño, quemado por el sol, canturreando una copla en la cubierta del barco y limpiándose la crema de afeitar con una toalla, mientras se vigilaba de reojo en un espejo insignificante colgado de un clavo.

—Ese espejo —le indicó el pequeño, boquiabierto— ¿es cien veces más sabio que el de tu abuelo?

—Y cien veces más fiel —respondió el nieto afablemente—, porque en el suyo sólo te ves por fuera. Y en éste puedes ver cómo eres por dentro.

—Y yo, ¿cómo soy? —preguntó el pequeño un poco asustado.

—Mírate en el espejo y lo sabrás.

El hermano pequeño se puso de puntillas para mirarse por dentro. Y vio a un hombre honrado y contento de su suerte, que disfrutaba del amor y de la naturaleza. Y que contribuía con su vida a mejorar el mundo.

—Ése eres tú verdaderamente —señaló el nieto del inventor.

Y ése fue, en el futuro, el más alegre de los hermanos pequeños. Ése fue él. Todo porque un día tuvo la fortuna de contemplarse a sí mismo en un espejo sabio.

O porque tuvo, quién sabe, la feliz ocurrencia de imaginárselo.

Un abrigo para Juanita
Pilar Molina

J UANITA era una gata de sedoso pelaje color canela, elegantes movimientos y enormes ojos verdes. Pero ella no lo sabía.

Por mucho que buscase en su memoria, Juanita no recordaba otro lugar que la cálida casa en la que vivía y no conocía otros seres que los que componían su familia: el abuelo arrastrador de zapatillas; papá, que a veces asustaba a Juanita con un extraño grito; mamá, que unas veces la mimaba con voz dulce y otras la regañaba con cara nublada; Nacho el grande y Bea.

Con quien mejor se llevaba Juanita era con Bea. Tenían muchas cosas en común: las dos tenían casi dos años; las dos dormían en cunas con colchón de monigotes, aunque la de Bea era de madera y la de Juanita de mimbre; las dos comían en escudillas de colores, aunque Bea comía en una silla muy alta y Juanita en el suelo, y a ninguna de las dos se las entendía bien cuando decían algo. Jugaban juntas a la pelota y a las carreras en el pasillo y compartían galletas, patatas fritas, helados, bombones...

—¿Quién ha dejado una rosquilla de chocolate en el sofá?

—¿Quién ha tirado la ropa recién planchada?

—¿Quién ha desordenado el periódico?

—Ha sido Bea.

—Ha sido Juanita.

Bea y Juanita aguantaban juntas las regañinas, pero, una tarde, la regañina fue sólo para Bea.

—¡Qué es esto? Pero si son... ¡Otra vez! ¡Bea!

Bea y Juanita acudieron corriendo a cuatro patas y, como siempre, Juanita fue la más rápida. Algunas veces, Bea se ponía de pie y Juanita, que todavía no había aprendido a levantarse sobre dos patas, se enfadaba.

—Eso es trampa —solía decir con un maullido largo.

—Bea... —dijo mamá muy seria—, ¿qué hacen tus bragas debajo del aparador? No debes quitarte las bragas. Una niña educada y limpia no se quita las bragas. ¿Has entendido, Bea? ¡Qué vergüenza, enseñar el culito!

Volviéndose al resto de la familia, mamá añadió:

—Es una manía. Desde que dejó los pañales no hay manera de que aguante las bragas. Es sólo una manía porque no le aprietan, no llevan volantes ni puntillas molestas. Son suaves, yo siempre les pongo suavizante, y...

—¡GOL! —dijo de pronto papá con aquel horrible grito que lanzaba algunas tardes y que retumbaba en las paredes y hacía temblar las copas en la vitrina.

A Juanita se le pusieron todos los pelos de punta y, como siempre que papá daba aquel grito, corrió a refugiarse bajo la mesa de la cocina. Detrás de ella entró mamá hablando sola:

—... una manía. ¿Cómo podría convencerla de que no debe quitarse las bragas?

Juanita, hecha un ovillo bajo la mesa, pensaba. Ella no se quitaba nunca las bragas, no se las quitaba nunca porque... ¡No las llevaba! Y lo peor era que a nadie PARECÍA IMPORTARLE.

«Yo soy limpia y educada», pensaba muy apurada.

«Entonces, ¿por qué no llevo nada? ¿Por qué no me regaña mamá?».

Juanita, que hasta ese momento había sido una gata alegre y despreocupada, se sentía mal. Le daba vergüenza salir de debajo de la mesa y empezaba a pensar que mamá no la quería tanto como a Bea. Estaba tan triste que ni el olor del bizcocho que se entreveía tras el cristal del horno ni las llamadas de Bea para que jugara con ella a las peleas conseguían animarla. Sólo el rumor de las amenazantes zapatillas del abuelo, que anunciaba que el anciano se disponía a merendar en la mesa de la cocina, consiguió que Juanita saliera corriendo de su escondrijo y se metiera en su cuna de mimbre en el recodo del pasillo, cerca de la habitación de Bea.

Desde aquel momento Juanita empezó a buscar algo que ponerse encima y cuando creía haber encontrado algo mejor, abandonaba lo que llevaba en cualquier rincón.

—¿Qué hace mi camiseta de fútbol detrás de la puerta del pasillo?

—Mamá, no encuentro el pantalón del pijama.

—¡Quién habrá metido el paño de la cocina debajo del sofá?

—¿Habéis visto mi pañuelo de seda?

—¡Ahhh! La boina del abuelo anda sola.

Sí, la boina del abuelo, el guante del horno, la visera de Nacho, el babi de Bea, un calcetín de papá...

—Esta gata se está volviendo loca.

—Estará aburrida.

—Yo creo que quiere llamar la atención.

Cada vez que era descubierta, Juanita se sentía más triste y avergonzada. A Bea le daban besos y mimos cuando no se quitaba la ropa y a ella la regañaban por ponérsela. Además resultaba muy incómodo, no podía correr ni saltar ni siquiera acurrucarse.

Una tarde, cuando Juanita intentaba ponerse la bolsa de los patines de Nacho, oyó una conversación que llegaba del salón.

—Es precioso —decía mamá—. Qué suave, qué color. ¿Realmente es una imitación?

—Por supuesto —contestó tía Maty—. Yo nunca me pondría uno de verdad, pero... aunque sólo sean imitaciones, son tan hermosos...

Con mucho sigilo, Juanita se coló en el salón y se escondió debajo de la mesa camilla. A través de los flecos del tapete vio el abrigo que levantaba tanta admiración. Era marrón claro, casi rojizo, y tan amplio y largo que cubría a tía Maty de pies a cabeza.

«Maravilloso», pensó. «¿Dónde podría encontrar uno para mí?».

A partir de ese momento, Juanita no hizo otra cosa que buscar un abrigo como el de tía Maty. Las toallas, las mantas, las cortinas..., ¿dónde había visto ella algo parecido a aquel abrigo? ¡Sí! ¡Ya se acordaba! En la habitación de papá y mamá. Juanita nunca había entrado en aquella habitación pero por la rendija, bajo la puerta, se podía ver una alfombra de pelo que tenía un aspecto parecido. Lo difícil era entrar.

Una mañana, con los latidos de su corazón en los ojos, Juanita se coló detrás del aspirador en la habitación de mamá. Se escondió debajo de la cama y, aterrorizada por aquel monstruo ruidoso y tragón, esperó a que mamá terminase la limpieza y cerrase la puerta tras ella y el aspirador.

Juanita se movía con cuidado para no tirar nada: la mesilla, la librería, la lámpara... ¡Allí estaba la alfombra! Impaciente, atravesó la habitación. Pero antes de llegar al otro lado, se detuvo. ¿Quién se movía? ¿Quién era? Delante de ella había alguien. Llevaba un precioso abrigo marrón claro con reflejos rojizos que le cubría todo el cuerpo.

Juanita tardó unos minutos en darse cuenta de que estaba ante un espejo y que la imagen que lucía aquella hermosa piel era ella misma.

«¡Pero si lo llevo puesto!», pensó. «Es el abrigo más bonito que he visto y además... ¡es natural!».

Se paseó de un lado a otro frente al espejo para observarse bien.

«He salido al abuelo en los bigotes, pero los ojos los tengo como Bea y como mamá».

Y finalmente, satisfecha de su propio aspecto, se hizo un ovillo debajo de la butaca y se dispuso a esperar dormitando que alguien abriese la puerta de la habitación.

A partir de aquel día Juanita no volvió a buscar nada que ponerse encima. Jugaba y saltaba con toda libertad y se paseaba por la casa con movimientos pausados y elegantes.

—Está desconocida —comentó un día el abuelo.

—Los gatos también maduran —dijo mamá acariciando la cabeza de Juanita.

La gatita entornó los ojos, suspiró y se quedó dormida en el regazo de mamá.

El robot
Juan Muñoz Martín

Hágase usted su propio robot: friega
y limpia los cacharros, barre la casa,
hace las camas y tira la basura.
Curso completo: 50.875 pesetas.
Piezas e instrucciones incluidas.

Apartado 5.897

NICANOR rompió las instrucciones: ya había terminado su robot. Una tuerquecita y *c'est fini*. Nicanor apretó la tuerca 2.795 y el robot abrió los ojos y se inclinó cortésmente.

—Buenos días, Nicanor.

Nicanor se quedó pasmado. Jamás había pensado que aquel aparato tan feo funcionara. Era estupendo. No sólo funcionaba, sino que hablaba y era además educadísimo.

—Buenos días —respondió Nicanor.

—¿Qué ordena el señor?

Nicanor no sabía qué ordenar. Le daba apuro mandarle que sacudiera la alfombra, que barriera las habitaciones, que recogiera la sala llena de tuercas y tornillos. Al fin, se atrevió y dijo:

—Recoja, por favor, las tuercas.

—Lo siento. Es que tengo reúma. ¡Qué más quisiera yo!

—Entonces, vamos a ver, friegue los cacharros de la cocina.

—Le repito que tengo reúma. ¡Qué más quisiera yo! ¿No tiene usted lavavajillas?

Nicanor estaba maravillado de las atinadas respuestas del robot. Era increíble.

—Bueno, como es poco, lo lavaré yo. Mientras, siéntese en ese sillón y descanse.

—¿Puedo fumar?

Nicanor se quedó encantado. ¡Un robot que fumaba! Se acercó a la mesa y sacó un cigarrillo de la tabaquera electrónica.

—Tome.

El robot se llevó el cigarrillo a los labios y pidió cortésmente fuego. Nicanor sacó el encendedor y lo encendió.

—Me encanta fumar —observó el robot.

Nicanor salió disparado a la cocina a lavar los cacharros de su desayuno. El robot le llamó:

—¿Podría desayunar?

Nicanor se quedó de piedra. Era verdad. No había tenido la gentileza de invitar a desayunar a su sirviente.

—¿Qué toma? ¿Aceite multigrado?

—No. Una taza de chocolate con picatostes.

Nicanor estaba un poco molesto.

—Muy bien. Venga a la cocina y haga el chocolate. Yo también lo tomaré. ¡Ah, y unas tostadas!

—¡Qué más quisiera yo! Además, ¿no tiene usted microondas? ¿No tiene tostador?

Nicanor tuvo que bajar la cabeza. Aquel robot era

inteligentísimo y lo decía todo con una educación que desarmaba a cualquiera. Nicanor marchó a la cocina, fregó los cacharros y, mientras los lavaba, preparó el chocolate y las tostadas.

Enseguida llamó al robot. El robot no se movió.

—¡Qué más quisiera yo! Por favor, tráigalo al despacho. Póngalo en esa mesa. Yo no puedo moverme.

Nicanor colocó el desayuno del robot en la mesa y él se fue a desayunar a la cocina. Mientras desayunaba, se hacía amargas reflexiones.

¿Para qué había construido el robot? Iría y le pondría verde.

Se levantó y fue a ponerle verde. Encontró al robot ante el ordenador escribiendo una carta.

—¿Qué hace?

—Voy a escribirle sus cartas.

—¿No tiene reúma?

—No, en los dedos no.

Nicanor se calló. Enchufó la aspiradora y comenzó a limpiar el despacho.

—Levante los pies.

El robot levantó los pies y se fijó en la aspiradora. Era blanca y espigada y hacía un ruido delicado y acariciador. El robot entornó los ojos maravillado.

—¿Cómo se llama?

—¿Quién? ¿Yo? Nicanor.

—No, esa maravillosa aspiradora.

—Se llama Fisa.

El robot comenzó a escribir como un loco.

—Querida Fisa. Nada más verte, mi corazón...

Nicanor salió furioso arrastrando la aspiradora por el parqué. Luego, la guardó con llave en el cuarto de la limpieza. Vio pasar al robot en dirección a la cocina.

¿Dónde iría? Seguro que iba a la nevera a tomarse un vaso de zumo. Nicanor se asomó.

Junto a la nevera el robot se había arrodillado y declamaba unos hermosos versos:

—«Volverán las oscuras golondrinas...»

—Volverán, pero tú no vas a volver.

Y cogió la escoba, la escoba de verdad, y echó al robot a escobazos de la casa.

—¡Fuera, fuera! Antes de que me eches tú.

Por la escalera se oía al robot correr escaleras abajo,
toc,
toc,
toc.

El virus del rompecabezas
Elena O'Callaghan i Duch

CUANDO los médicos no tienen ni idea de lo que te pasa, resulta que tienes un virus o una alergia. Y eso fue lo que me pasó a mí.

Primero tuve la alergia. Después de mil pruebas de esas en las que te pinchan y te dejan el brazo hecho un colador, la alergia desapareció. En realidad no es que desapareciera; es que no había aparecido nunca. O sea, que, según el médico, la alergia en cuestión no era alergia, sino que resulta que era un virus; un virus de esos raros que nunca se sabe de dónde vienen ni adónde van, pero que te dan la tabarra durante unos cuantos días. Los suficientes para consumirme de aburrimiento en casa durante las tres semanas que falté a clase. Ya es mala suerte que las cosas interesantes ocurran cuando uno tiene una alergia que no es alergia.

De hecho, no habría ocurrido nada si al bobalicón de González su tía no le hubiera traído de Londres aquel rompecabezas de mil piezas que nos llevó de cráneo a toda la clase durante medio curso.

Tampoco habría pasado nada si al *Titanic* no se le hubiera ocurrido hundirse en plenas aguas marinas la noche del 14 al 15 de abril de 1912.

Y tampoco habría sucedido nada si a Leonardo da Vinci no se le hubiera ocurrido pintar, en 1506, un óleo cuyo retrato correspondía a una dama llamada Monna Lisa.

Pues estaba yo con lo de la alergia —que todavía era alergia— cuando me llamó García por teléfono para saber cómo estaba y para decirme que qué suerte la mía, que me libraba del examen de mates aquella semana.

—Que te crees tú eso. Me va a caer cuando vuelva, ya lo verás.

—Pero qué estupideces dices, si estás enfermo, estás enfermo y sanseacabó.

Me libré del examen de mates. Me libré también del de natus. Y me iba a librar también, y eso sí que me fastidió un montón, del triunfante final del rompecabezas.

A la hora del parte diario, me llamó García:

—Oye, Tavo, que nos faltan unas pocas piezas para acabar el rompecabezas. ¿Cuándo vas a venir?

—¡Y yo qué sé! Supongo que seguimos ganando a los del B. ¿No?

—Pues sí, pero ellos avanzan muy rápido, no te creas. Para mí que les ayudan los de sexto a la hora del recreo. Venga, hombre, ponte bien, que necesitamos refuerzos y... ya se han acabado los exámenes.

Conforme avanzaban los días, avanzaban también los de quinto B con su rompecabezas. Genial idea la de la tutora cuando González llevó los mil pedazos del *Titanic* a clase:

—Mira qué bien, ya tenéis algún entretenimiento mejor para los recreos que las maquinitas de monstruos y marcianitos.

Y lo que empezó como una broma acabó convirtiéndose en una afrenta personal y en un desafío a muerte con los de la otra clase. Porque al cabo de dos días, los de quinto B —muy originales ellos— le regalaron a Moni para su cumpleaños un rompecabezas de mil piezas, entre todos los del curso. A la hora del patio discutieron Moni y Marta. Una, que si el del *Titanic* era el más bonito; la otra, que si el de la Monna Lisa era mejor. Y como a Paco *le gustaba Marta*, se metió a defenderla. Y Cubillos se metió también en el tema diciendo que el rompecabezas de la *Moni* Lisa era tan horroroso como la misma Moni. Y García y yo y González nos liamos a tortas con Cubillos y Paco. .

Uno no sabe muy bien cómo se complican las cosas a veces. Pero el caso es que acabamos los de quinto A contra los de quinto B. Y fue el desmadre padre hasta que nos pescó la tutora, que si no nos llegan a separar, hubiéramos acabado todos hechos añicos como los rompecabezas.

Debo reconocer que, por una vez, el castigo fue original: hasta que cada clase acabara con su rompecabezas, durante los recreos de dos días a la semana alternativamente medio curso se quedaba a colocar piezas.

Eso fue en noviembre y la alergia me dio en febrero; para entonces, el perfil del *Titanic* ya recordaba el de un barco. O sea, que llevábamos más de quinientas piezas encajadas. Los del B ni siquiera habían llegado a la sonrisa de La Gioconda. Nuestra ventaja era, pues, evidente.

Pero la cosa se puso fea. Cuando mi alergia empezaba a despertar sospechas de no ser alergia, me llamó García, desesperado el hombre.

—Oye, Tavo, que la cosa está muy mal, que nos ganan. ¡A ver si vuelves ya de una vez, hombre!

—Que no puedo, mi madre no me deja. A lo mejor es contagioso y...

—Mucho cuento tienes tú con lo de la alergia esa.

—Para cuento el vuestro, que si no estoy yo, os dejáis ganar por los vecinos. ¿Pero estáis tontos o qué?

—Que nos faltan piezas, *tío*, que nos faltan piezas.

—Pero ¡qué dices! Eso es imposible. Estaban todas clasificadas por colores en las cajitas pequeñas que trajeron Nolo y Mercedes. Y en nuestra clase no entra nadie.

—Pues habrá sido un fantasma, pero faltan piezas. Dice Gonza que esto es un complot. O un boicot, que ahora no me acuerdo bien de la palabra.

—A ver: ¿Cómo sabes que faltan piezas? ¿Las has contado? ¿Has contado las colocadas y las que faltan por colocar? Estás chalado. Ni boicot, ni complot, ni narices; lo que pasa es que sois una pandilla de inútiles. Desde luego..., ¿es que no puede uno tener alergia tranquilo, o qué...? ¡Vaya vergüenza! En sexto me pido cambiarme a la B.

—Eso es alta traición.

Alta traición o inutilidad por su parte, el caso es que García y yo nos peleamos de lo lindo por teléfono. Al día siguiente no me llamó. Y al otro, tampoco.

Cuando la alergia se había convertido ya en un virus, García seguía sin llamarme y yo estaba que me subía por las paredes. Telefoneé a González para ver cómo iban las cosas. Realmente, iban muy mal. A los de quinto B les faltaba poquísimo para acabar el rompecabezas, y los de nuestra clase... Bueno, tuvo que tomar cartas en el asunto la tutora porque el tema de las piezas iba en serio: nos faltaban un montón. Se registró la clase de arriba abajo, se buscó en todos los rincones, se vaciaron mochilas, estanterías, armarios, floreros, se abrieron todos los libros página por página, todos los cuadernos... Pero nada de nada. Las piezas no aparecían.

Aquello sí que era un misterio. O salían las piezas antes de 24 horas, o irremediablemente nos ganaban los de quinto B. Además, y eso era todavía más humillante para nosotros, nos tocaba invitarles a merendar. Por supuesto había sido una de las geniales ideas de las tutoras de ambos quintos: bajo el lema de la solidaridad y la hermandad, la clase que perdiera tendría que invitar deportivamente a la otra clase a merendar, y no valía eso de comprar cuatro *chuches* y cuatro bollos, tenía que ser una merienda hecha por las propias y lindas manitas de los perdedores.

¡Qué horrror! Que ya me veía yo haciendo uno de mis deliciosos bizcochos para que se lo zamparan Cubillos, Moni, Paco y toda su cuadrilla. Sólo de pensarlo, se me ponían los pelos de punta.

Días más tarde, cuando el virus —que ya no era alergia— estaba en plena acción, me llamó González y con una ensayada voz de ultratumba me dijo:

—Mensaje urgente de parte de García: que el *Titanic* se ha hundido con toda la tripulación a bordo y que te vas a encargar tú de organizar la merienda.

Y colgó el teléfono.

Pasé dos días horribles. Pero ¿cómo se habían dejado ganar? ¿Cómo era posible que no encontraran las piezas? Si no hubiera sido por la maldita alergia-virus, como me llamo Gustavo que las habría encontrado, que lo más seguro era que las tuvieran escondidas los de quinto B para fastidiarnos. Aquello no podía quedar así. ¿Pero es que no había justicia? Y las tutoras, ¿qué decían a esto? Al día siguiente hablaría con nuestra tutora. No era justo. Si nos habían desaparecido las piezas, nosotros no podíamos acabar el rompecabezas.

Pero al día siguiente, el virus, que se lo debía de estar pasando cañón conmigo y que ya era virus con todas las de la ley, me produjo fiebre alta. Una semana más en casa, dijo el médico. Aquello era tanto como perder definitivamente la última oportunidad. Me puse de un humor de perros. No quería jugar ni siquiera con mi hermano. Mis padres decían que estaba insoportable, que no había quien me aguantara.

—Es que además de la fiebre, el pobre —oí que decía mi padre a mi madre en plan de disculpa— está harto de estar encerrado en casa.

—Necesita distraerse —decía mi madre.

—Le traeré un regalito para que se distraiga un poco.

¡Lo que me faltaba! Un regalito para distraerme... Pues ya andaba bastante distraído con mis preocupaciones.

De repente se me ocurrió que podía llamar por teléfono a la tutora. Claro, eso era lo mejor. Si mis compañeros de clase se conformaban con el resultado, yo no. Ahora mismo iba a llamarla. ¿Y el teléfono del cole? Si se lo pedía a mi madre, tendría que darle demasiadas explicaciones. Tampoco quería llamar a García, que no estaba el horno para bollos. Llamaría a Marta y seguro que ella, si no tenía el número, mañana me lo podría conseguir en el cole. Además, ella no haría preguntas tontas. El teléfono de García me lo sabía de memoria, pero el de Marta no. Así que fui directo a mi mochila.

Allí estaba. Tal como la había dejado el último día que volví del cole. En un rinconcito de mi habitación. Metí la mano dentro y empecé a palpar buscando la agenda escolar.

Y allí, de pronto, en aquel rinconcito de mi habitación, agachadito como estaba, me acordé de todo: de la última clase de lengua, del aburrimiento, de la cajita que cogí disimuladamente, de cuando empecé a clasificar las piezas de la proa del *Titanic* sin que nadie me viera, de cuando las tuve que esconder en la mochila rápidamente porque se acercaba el profe... ¡Las piezas!

En aquel preciso instante, entró mi padre en la habitación. Con una inmensa sonrisa de oreja a oreja, me entregó un paquete:

—Gustavo, hijo, ¡sorpresa, sorpresa! Toma. Para que te distraigas, a ver si se te pasa un poco el malhumor —y añadió la mar de contento—: No te puedes ni imaginar de qué se trata.

Efectivamente. No me lo podía ni imaginar.

Cuando empecé a desenvolver el paquete, me dio un sofocón, un mareo... Como en un *videoclip*, en mi cabeza se amontonaban imágenes locas: piezas, cajitas, virus, barcos, García...

Lo último que hice antes de desmayarme fue oír a mi hermano mayor que decía:

—Papá, ¡qué bonito rompecabezas le has regalado a Gustavo! ¿Lo guardo en su armario?

Nicolás escribe una carta
José Luis Olaizola

NICOLÁS Silverín vivía en una ciudad con tres millones de personas más. En esa misma ciudad habitaban nueve millones de ratas —a tres por persona, como de costumbre— y siete mil quinientos perros.

Como era muy incómoda la convivencia con tantos individuos juntos, el alcalde no hacía más que recibir quejas.

—¡No cabemos todos...! —protestaban los ciudadanos—. ¡A ver qué se le ocurre a usted!

Como a las personas no se las podía echar al campo —que estaba vacío y habrían cabido todas— y a las ratas era dificilísimo cogerlas, el alcalde dio orden de apresar y matar a todos los perros que no tuvieran dueño.

A los perros que no tenían dueño se les notaba porque andaban siempre con la cabeza gacha, mirando de reojo a todo el mundo y lo más pegados posibles a las paredes. Además, no llevaban collar al cuello.

A Nicolás Silverín, que tenía nueve años, le gustaban mucho los perros sin dueño porque eran más simpáticos que los otros. No ladraban ni daban la lata, y procuraban acercarse a las personas con disimulo y respeto, a ver si conseguían aunque sólo fuera un poco de pan. Si se les hacía una caricia, se emocionaban tanto que parecía que se iban a echar a llorar.

Nicolás vivía en un barrio de gente importante, con señoras que tenían perros a los que llevar al doctor y a la peluquería. Eran perros que andaban siempre con el hocico fruncido, ladraban sin que viniera a cuento y sólo les gustaba la comida de lata.

Cuando Nicolás vio a los empleados municipales cazar a lazo a los sin dueño, se quedó desolado. Se dejaban cazar muy fácilmente. Se pensaban que les iban a echar de comer y, para cuando se querían dar cuenta, ya tenían el lazo al cuello. Si alguno se resistía, le daban un garrotazo y apenas tenía tiempo de lanzar su último aullido.

—No hay derecho —protestó Nicolás durante la clase de ciencias naturales—. Si sobran perros en la ciudad, ¿por qué no quitan los de las señoras, que son unos cursis?

Al profesor, que era un chico joven, le hizo gracia la salida del niño y le dijo en broma:

—Tienes razón, Nicolás. ¿Por qué no escribes una carta a los periódicos?

—Vale —respondió Nicolás, encantado con la idea.

Y escribió una carta en la que explicaba que los perros con dueño daban mucha más lata, gastaban mucho en comida y, encima, no se comían las ratas. O sea, que era una injusticia matar a los otros.

Le enseñó la carta al profesor y el hombre se emocionó. La leyó en voz alta, en clase, y a todos los niños les pareció muy lógico lo que decía Nicolás.

—Pues si estáis de acuerdo, firmad la carta —los animó el profesor.

Así lo hicieron y luego la firmaron otros chicos y chicas del colegio que también estaban de acuerdo. A la salida se lo contaron a los profesores y a los niños del colegio de enfrente, que se pusieron tristísimos y firmaron casi todos.

El caso es que en menos de una semana tuvieron la carta firmada por más de mil quinientos niños y la mandaron a un periódico muy importante, que la publicó con grandes titulares. Encima, la televisión dio la noticia y la gente empezó a protestar:

—¿Por qué quieren matar a los perros sin dueño?

—Porque transmiten enfermedades —se defendió el alcalde, que veía que perdía las siguientes elecciones.

—¡Pues que los vacunen! —rugieron muchos.

Al alcalde no le quedó más remedio que suspender la orden.

La Sociedad Protectora de Animales estaba tan agradecida a la idea de Nicolás Silverín que le quiso regalar un perro precioso.

—¿Con collar? —preguntó Nicolás.

—Sí, claro —le respondieron.

—No, gracias —dijo el chico—. A mí me gustan de los otros.

Nicolás Silverín, que tenía nueve años, discurría como si no hubiera hecho otra cosa en su vida.

Metralleta y Patapalo
Enrique Páez

GERMÁN es un mentiroso, pero es mi amigo. Ayer por la mañana teníamos que hacer un control de lengua a primera hora. Antes de empezar, don Marcelo nos dejó repasar los cuatro temas durante diez minutos. Luego, cuando estábamos en el primer aviso para guardar los libros, apareció Germán por la puerta, recién caído de la cama. Todavía llevaba las arrugas de la almohada marcadas en su cara. Cuando Germán llega tarde a clase, don Marcelo, el profe de lengua, no quiere ni oírle hablar.

—Puntualidad, Germán. Puntualidad y diligencia, dos virtudes que se aprenden en la infancia —nuestro profe suele hablar así, un poco raro. Sobre todo antes de los controles. Pero no es mala persona, sólo un poco calvo.

—Hoy no ha sido culpa mía, don Marcelo. Me han entretenido —se excusó Germán.

—¡Ah, ya! Supongo que ha vuelto a escaparse la familia de jirafas que tenéis en el cuarto de baño. No importa. Siéntate —le ordenó el profe, que ya empezaba a ponerse nervioso.

Todos, incluso Noemí, nos quedamos quietos esperando que Germán empezara con alguna de sus historias. No podía fallar. Germán dudó unos instantes, y al fin dijo:

—No, don Marcelo, nada de jirafas. Eran japoneses.

El primero fue Gustavo, pero luego todos nos echamos a reír. El profe arrugó la nariz, se quitó las gafas, las puso muy despacio sobre la mesa, y se pasó la mano por la calva, yo creo que para hacer tiempo y no ponerse a gritar.

—Mira, Germán, no empecemos. Llegar tarde es una falta grave, pero el cachondeo, sí, *cachondeo* —repitió alzando la voz—, no lo puedo consentir.

Y lo más curioso es que Germán ponía cara de pena, como si se le acabara de morir su perro. Aunque el resto de la clase no paró de reír, yo dejé de hacerlo, porque Germán es mi amigo, y sabía que iba a tener problemas.

—Eran espías japoneses con cámaras de fotos en miniatura, y yo les he seguido por la calle antes de ir a la policía, porque estaban...

Aunque don Marcelo se puso rojo, eso fue sólo el principio, porque luego su cara empezó a tomar un color azul grisáceo, para llegar finalmente al verde pimiento. Al profe no le llegaba la voz a la garganta. Trató de hablar, o de gritar, pero sólo consiguió tartamudear y mover los brazos en el aire, como si fuera un enorme pájaro de cien kilos a punto de echar a volar.

Ayer Germán estaba inspirado. Seguro que no se había preparado el control, y quería conseguir que se aplazara. Aprovechando que don Marcelo no podía decir ni pío, tomó carrerilla y dijo todo lo que se le ocurrió.

—Y como se me estaba haciendo tarde y no quería perderme la primera hora, le he pedido ayuda a mis abuelos, Metralleta y Patapalo —continuó, poniéndose de puntillas.

Germán estaba muy nervioso. Daba pequeños saltitos sin moverse del sitio, pero yo sabía que estaba decidido a contar toda la historia, pasase lo que pasase.

—Meee..., Meetralleee... ta... y... Paa..., Patapaaa...
—nuestro profe no podía siquiera terminar las palabras. El sudor le caía desde la frente hacia la barbilla.

Gustavo, que es un pelota, salió de la clase con un vaso de plástico para llenarlo de agua y revivir a don Marcelo, pero cuando entraba por la puerta, de regreso del servicio, Noemí le puso la zancadilla, y el vaso de agua nos regó a todos los de la primera fila. El profe seguía batiendo alas delante de la pizarra.

—No es que mis abuelos se llamen así, no crea; pero así es como los conocen sus amigos... Metralleta, la abuela, se dedicaba a atracar bancos. Escondía el arma en la bolsa de hacer punto, aunque ella dice que no era ninguna metralleta, sino agujas del siete y ovillos de lana.

Yo ya me conocía la historia, porque Germán me la había contado muchas veces, así que me dediqué a terminar los ejercicios de inglés, porque la señorita *How-do-you-do* había dicho que los iba a recoger ayer, y lo malo de *How-do-you-do* es que cuando dice que va a hacer algo, lo hace.

—Pero mi abuelo, Patapalo, la convenció, y ya no atraca bancos. Mi abuelo es genial. Durante toda su vida trabajó de pirata. Se quedó cojo y tuerto hace ya muchísimos años, y decía que no lo contrataban en ningún sitio.

—Piii... piraaa... —tartamudeó el profe torciendo la boca de una forma muy rara. Sacudía las manos y se las estrujaba como si fueran dos esponjas llenas de agua.

Mi amigo Germán no tiene mala uva ni es desobediente, pero cuando empieza ya no puede parar. El muy tonto seguía tratando de convencer a don Marcelo. Miré mi reloj: había pasado más de la mitad de la clase.

—Mi padre, cuando yo era más pequeño, me dijo que la cojera del abuelo era de mentira, que lo que tenía era mucho cuento y ganas de calentarnos a todos la cabeza.

Ahora el que sudaba era Germán. Le temblaba la voz, y miraba unas veces al profe y otras a nosotros, como pidiendo ayuda.

—Germán, cállate de una vez y siéntate en tu sitio... —logró decir al fin don Marcelo en un susurro que sólo pudimos oír los de la primera fila. Pero ya no había nada que hacer.

—Supongo que me dijo eso para que yo no tratara de imitarlo, porque no habría sido un buen ejemplo para mí, pero un día mi abuelo...

Sara y Arturo, que son los mayores y los más fuertes de la clase, fueron corriendo hasta la pizarra y sujetaron al profe, que había empezado a dar vueltas como una peonza antes de caer al suelo. Lo arrastraron hasta su mesa y lo sentaron en la silla. Luego volvieron a sus pupitres y continuaron con los ejercicios de inglés, como yo. La hora de clase estaba a punto de terminar y Germán seguía hablando.

—... Patapalo me contó la verdad. Incluso me enseñó la bandera negra con la calavera que guardaba en el fondo de un baúl, y me dijo que su barco se llamaba *El Fantasma Holandés*.

Ninguno de nosotros escuchó la sirena que anunciaba el cambio de hora. Ni don Marcelo, que tenía la cabeza hundida entre los brazos cruzados encima de su mesa, ni Germán, que había contado la aventura más extraña de los últimos meses, así que la entrada de *How-do-you-do* casi nos pilló por sorpresa.

—Vamos, vamos, don Marcelo, que ya pasó todo. No se ponga así, que todos podemos tener un mal día. Lo esperan los chicos de 5 B —decía *How-do-you-do* tirando del brazo de nuestro profe para levantarlo de su silla y conseguir que abandonara el aula.

Después del inglés, durante el recreo, todos pudimos escuchar las risas que salían de la sala de profesores. Don Marcelo, con un ataque de hipo, pedía la expulsión de Germán. Lo más seguro es que lo castiguen sin recreo durante las próximas dos semanas, y sus padres tengan que venir a hablar con el Faquir, el jefe de estudios; pero eso es todo. El examen de lengua no se hará hasta el viernes.

Por la tarde, al terminar las clases, vino el abuelo de Germán a recogerlo a la salida del colegio. Tenían que ir al dentista, creo. Yo ya he estado varias veces en casa de Germán, así que no me sorprendió, pero Noemí, Arturo, Sara, Gustavo y hasta el Faquir, *How-do-you-do* y don Marcelo se quedaron con la boca abierta al ver aparecer al abuelo de Germán con un parche en el ojo, arrastrando una pierna y un pañuelo rojo en la cabeza. Sólo le faltaba el loro de colores en el hombro y un garfio al final del brazo.

—¡Patapalo! —exclamaron todos al verlo avanzar tambaleante por el patio.

—En marcha, Rufián —le gritó a mi amigo con una voz que parecía un trueno.

Germán mostró una clara sonrisa de triunfo. Agarró a su abuelo de la mano y desaparecieron calle abajo.

Y no digo nada más, que luego dicen que soy yo el que cuenta cuentos. Cada cual que piense lo que quiera. Además, aunque Germán sea un mentiroso, va a seguir siendo mi amigo, así que me da lo mismo.

El calamitaeróstato
José Antonio Panero

MIGUELÍN Leiroso Castañeira tenía por lo menos cincuenta años, pero todo el mundo le llamaba Miguelín porque cuando se sentaba en la silla del bar para echar la partida con los amigos le quedaban los pies colgando. Miguelín era de cerca de Lugo y tenía la cabeza llena de inventos. Cuando era más joven, inventó un reloj que detenía de vez en cuando el tiempo. La cosa estaba muy bien, porque, mientras no corría el tiempo, ni los viejos envejecían ni se cortaba la leche ni se pudría la fruta. Pero los enfermos y los que tenían dolor de muelas y los niños que querían crecer deprisa protestaron y Miguelín acabó vendiendo el reloj a un afilador ambulante que no quería morirse nunca.

Miguelín siempre estaba inventando cosas, aunque algunas no servían para nada. Una vez inventó una vaca sin cuernos que tenía la piel a franjas blancas y azules; además, no daba leche y tenía los ojos amarillos, como los gatos.

—¿Y para qué queremos una vaca así? —le preguntaron los vecinos.

—¡Ah, yo qué sé! —contestó Miguelín—. A mí me gusta, porque bebe estrellas.

Y era verdad: todas las noches la vaca aquella salía de los corrales y se iba derecha al pilón de la fuente a beber las estrellas que se reflejaban en la superficie del agua y no paraba hasta que se las había bebido todas. Así, noche tras noche. Cuando llevaba bebida media Vía Láctea, el alcalde dijo que aquello no podía ser, que la vaca iba a dejar el pueblo a dos velas y que a ver a dónde iban a mirar los vecinos las noches de verano, cuando salían con las sillas a las puertas de las casas para tomar la fresca y charlar. Entonces, Miguelín le regaló la vaca a un holandés que pasó haciendo el Camino de Santiago. Como los holandeses entienden mucho de vacas, el peregrino estaba encantado y pensaba llevársela a Holanda a la vuelta de Compostela; pero a la vaca le gustaba el cielo de Galicia y antes de llegar a Palas do Rey pegó un brinco, se subió a la mochila del holandés —que quedó, el pobre, medio desriñonado— y desde allí, de otro brinco, ¡zas!, se plantó cerca de la Osa Mayor. Allá arriba, en las praderas del cielo, la vaca se puso a pastar luceros y polvo de estrellas, hasta que se volvió fosforescente.

A veces Miguelín inventaba cosas que ya estaban inventadas. Un domingo estaba con los amigos jugando al tute en el bar y sin venir a cuento dijo:

—El martes voy a inventar la pólvora.

Los amigos siguieron concentrados en las cartas, como si nada. Pero al rato uno le replicó:

—Eso ya lo han inventado los chinos ni se sabe hace cuánto, Miguelín. Inventa otra cosa.

Miguelín quedó callado un momento, balanceando las piernas en el hueco de las patas de la silla.

—Bueno, pues entonces..., ¡arrastro! —contestó. Y cantó las cuarenta.

A lo largo de su vida, Miguelín Leiroso Castañeira inventó una barbaridad de cosas, pero su invento más memorable fue el calamitaeróstato.

—¿El calamita... queeé? —preguntaron sus amigos

cuando les habló por primera vez de la extraña máquina.

—Calamitaeróstato —repitió Miguelín sin la menor vacilación.

—¿Y eso qué es? —quisieron saber los amigos.

—Un globo-imán que navega por los aires con la sustancia de la que están hechos los sueños —explicó el inventor.

Como los amigos seguían sin entender una palabra, Miguelín los llevó a su casona de piedra para que pudieran ver con sus propios ojos el genial artefacto. Tenía la apariencia de un pequeño globo aerostático, aunque muy singular: la envoltura, blanquísima y brillante, no era de tafetán, sino de plumón de ganso, que Miguelín había sacado de los dos edredones heredados de su abuela. Con sedal había hecho la red que recubría el globo y las cuerdas de sujeción. La barquilla de pasajeros era un cesto de vendimiar en el que sólo había el espacio justo para los instrumentos de navegación y para un aeronauta en cuclillas.

—Ahora lo que necesito son sueños frescos —dijo Miguelín—. Los sueños son el gas más ligero que existe en el universo.

Los amigos se miraron unos a otros, interrogantes. Pero como lo querían bien y confiaban en él, hicieron lo que el inventor les pedía: durante varios días, a primera hora de la mañana, todos los vecinos del pueblo desfilaron por casa de Miguelín para descargar sus sueños en el calamitaeróstato. Uno a uno, metían la cabeza por la boca del globo y contaban en voz baja el sueño que habían tenido la noche anterior. Si alguien no se acordaba de lo que había soñado, podía inventar el sueño; eso también valía.

A medida que el globo de plumón se iba llenando de

sueños, su volumen aumentaba y la red que cubría la envoltura se tensaba cada vez más. Por fin, un sábado por la tarde, el calamitaeróstato parecía una gigantesca bombilla de plumas a punto de reventar.

—¡Gracias, gracias, amigos, ya está, ya está...! —exclamó, lleno de júbilo, Miguelín, mientras se apresuraba a subir al cesto de vendimiar que hacía de barquilla. El calamitaeróstato se tambaleó un poco de izquierda a derecha y, de improviso, ¡fuuum!, empezó a ascender por el aire. Entonces un vecino se dio cuenta de algo en lo que nadie había reparado.

—¡Miguelín, no llevas lastre! —gritó.

El inventor se asomó al borde del cesto, que había superado ya la altura del tejado de la casa, y a voces respondió:

—¡No lo necesito! ¿Por qué crees que se llama calamitaeróstato? ¡Éste es un globo-imán, mira!

Los vecinos oyeron primero un ruido de viento fuerte y después vieron, asustados, cómo la tierra temblaba y de debajo de la tierra salían fusiles oxidados, pistolas, granadas sin explosionar y restos de metralla de la vieja guerra, que volaron, como atraídos por un potentísmo imán, hasta el cesto del calamitaeróstato. El globo cabeceó un poquito con el lastre de las armas y perdió altura, pero Miguelín frotó las manos debajo del gas de los sueños y de nuevo la máquina ascendió por los aires.

—¡Ése sí que es un invento, Miguelín! ¡Acaba con todas las guerras! —le gritó uno de sus amigos desde abajo.

—¡Sí, Miguelín, inutilízales las metralletas y los tanques! —dijo otro.

—¡Y vuelve pronto...! —corearon todos a grito pelado.

102

Pero Miguelín Leiroso Castañeira no los pudo oír, porque su globo, aprovechando una corriente cálida, se elevó rápidamente a gran altura y desapareció entre las nubes.

La media roja
Hilda Perera

LA niña era rubia, de ojos verdes, y parecía una muñeca. Pero las monjas no la escogieron para el papel principal de la fiesta sólo por esto: además sabía recitar versos en longaniza y tenía una gracia natural, a pesar de ser gordita, que la haría destacarse en los sencillos pasos de la tarantela con que cerrarían el acto de fin de curso.

Cuando al padre, pequeño, de ojos azules y caballero, le dijeron que la niña tomaría papel principal en la fiesta, se llenó de orgullo. Por algo entre los ocho hermanos, todos vencedores e inteligentes, tenía que destacarse la niña. La madre, toda ternura —de esas que vienen al cuarto oscuro a dar el segundo beso para alejar la soledad y el miedo—, repetía:

—Pero ¿es verdad, mi niña, que te han escogido para el papel principal? ¡Cómo tenemos que ensayar! ¡Ah, y hacerte el traje!

—Justo, ¿te dijeron lo del traje?

—No, hija, de eso te ocuparás tú.

Y así fue. Llenaron la sala de la casa las telas gruesas y los recortes de florecillas de fieltro. Angelita, la tía, vino a echar una mano y, por unos días, la niña fue el centro de atención de todos y estuvo rodeada del halago de los mayores y la envidia de los pequeños. Cuando la madre le prendió a los bucles el sombrerito del que colgaban cintas, se le iluminaron los ojos. A la niña le molestaba el pica pica de las telas y las medias a las que no estaba acostumbrada, pero aguantó estoica.

Por fin llegó el día. Se avisó a todos los parientes, hasta los de Barcelona, que eran más ricos, a los vecinos del quinto y el cuarto, a los primos y a los maestros de canto y guitarra y catecismo. Y, desde luego, a los ocho hermanos, fastidiados por el triunfo de la niña. Todos la rodearon con signos de exclamación: ¡Qué linda está! ¡Pero qué manos tienes, Lucita: el traje es una auténtica maravilla!

La niña lo oía todo y fingía un aplomo que desdecía el hormigueo de su estómago y sus manos heladas como trocitos de hielo.

Al fin se apagaron las luces, se abrió el cortinaje y apareció el grupo de la tarantela con la niña enfrente.

En cuanto empezó la música, a un ritmo perfecto la niña arqueó el brazo, dio unos saltitos y, ¡oh, catástrofe!, sintió que se le venía abajo la media izquierda.

Espartana, siguió bailando y dando los saltos ensayados mientras la media le rodaba pierna abajo sin clemencia.

Empezaron las risas; entre ellas reconoció las de sus hermanos Paco y Julián.

Pero ella no se inmutaría. Seguiría hasta el final como una campeona, aunque le ardía la cara de vergüenza y tenía los ojos iluminados por lágrimas que lloraría más tarde.

Cuando por fin terminó su suplicio y cayó el telón, salió con su media roja caída sobre el zapato a hacer la reverencia y, luego, corriendo, corriendo, se cobijó en los brazos de su madre, que la aliviaba de todos sus pesares.

Allí, abrazada por ella y con la cara encendida de humillación y vergüenza, juró que en su vida bailaría una tarantela. ¡Nunca, nunca, nunca!

La niña aprendió a desechar las burlas. A conocer su vocación. A trabajar duro, a convertir los fracasos en triunfo de su espíritu. Y aunque nunca más bailó una tarantela, es hoy una de las escritoras preferidas de los niños.

Un mensaje en una botella
Carlos Puerto

CUANDO alguien lea este mensaje, estaré muy lejos de casa. Me he marchado pensando que todos los envidiosos son más tontos que chupar un pirulí por el palo. Y ya estaba harto de tantos tontos, de tantos pirulís y de tantos palos.

La culpa es de mi hermano el famoso que, desde que volvió a casa tras su último —y muy largo— viaje, ha convertido mi vida en un infierno; exactamente como si me hubieran estado metiendo ortigas en mis calzones. Por eso he tenido que largarme de mi acogedor hogar para venir hasta aquí, al fondo del océano a la izquierda.

Porque ¿qué culpa tengo yo de parecerme a él? Yo, un pobre hombre, tranquilo, sosegado, pacífico, hasta que, desquiciado de los nervios, he tenido que romper más de un paraguas en la cabeza de los cotillas impertinentes.

—¡Que no soy yo, que se equivoca! Que yo no me llamo...

Y ellos, insistentes, dale que dale, como tábanos con las caballerías, que les cuente cómo naufragué en aquella isla desierta, que les explique cómo sobreviví durante una eternidad comiendo esos bicharracos conocidos por el nombre de llamas, que les cuente con pelos y señales mis peleas con los caníbales.

—¡Que no soy yo...!

Me entran ganas de decirles que mi hermano es un fantasioso, que ni caníbales ni llamas; y que más le valiera a él ser sincero y contar de una maldita vez que su viaje lo hizo a la fuerza a una isla conocida como *Isla del Diablo*, adonde no va la gente de vacaciones, sino únicamente los que han cometido alguna fechoría.

No voy a contarles cuál fue la que le ayudó a viajar, porque aunque sea una desgracia para mí, que conozco la verdad, él sigue siendo mi hermano. Pero ¿acaso se molestó en pensar en el lío en que me iba meter con su literatura?

¡Claro!, es más bonito contar que uno es un aventurero, que si tal y que si cual, y luego hacer que un ingenuo escritor se lo crea y le convierta en un personaje más famoso que las garrapatas para los perros.

Pero yo no soy él; nadie ha escrito nada sobre mí, sobre mi vida. Y estoy hasta el copete de que me paren, me soben, me insistan en que les hable de algo que no sé ni me importa.

Por eso he cogido los bártulos y me he venido aquí, a una isla como la que describe en su libro. He buscado en los mapas del mundo hasta dar con la mejor de todas. Tranquila, de excelente clima y, sobre todo, lejos, lejísimos de casa.

Para no aburrirme, me he traído un montón de libros y a un amigo. Él no habla, no pregunta y, eso sí, ayuda como el mejor.

La última noche de mi estancia en York me pasé por

el zoológico y le invité a que se viniera conmigo. Y entre una sucia jaula y una agradable isla, Macaco no lo ha dudado.

Me ayudará a bajar los cocos de las palmeras, su pelaje me servirá para sacar brillo a mis botas y también me avisará cuando se acerque algún barco, para que pueda esconderme.

No quiero ser rescatado, no quiero que nadie me devuelva a la «civilización». No quiero seguir viendo cómo mi hermano hace el ganso.

Ahora mismo, a la orilla de un mar azul, viendo pasar las gaviotas, a la sombra de una palmera, en compañía de mi fiel Macaco, soy el hombre más feliz del mundo. También he vuelto a ser el más tranquilo. Y así he de continuar.

Si alguien recibe este mensaje que voy a meter en una botella y arrojar al océano, por favor, que no venga a buscarme. No es una llamada de socorro, todo lo contrario. Es una petición de que nadie se vuelva a meter en mi vida, de que me dejen definitivamente en paz. ¡Adiós y que ustedes lo pasen bien!

Al que le guste dar la lata, que se dirija a mi hermano, que le pregunte, que le agobie, pues a él le encanta ser famoso. Y si ya se ha cansado de hablar con unos y con otros, que se aguante. No haberse inventado historias que nunca existieron.

Y ahora permítanme que les deje de una vez por todas; mi amigo Macaco me espera, porque tenemos que hacer algo importantísimo: una liana para subir a la cabaña que hemos instalado en lo alto de unas rocas.

Y después de la liana, a comer, a dormir la siesta, a

pescar, a soñar, a leer un poco, a cenar, a contemplar las estrellas hasta mañana...

Se despide de todos ustedes, deseándoles sigan lejos como ahora están, allá por donde Sansón perdió el flequillo

Robertson Crusoe
(hermano gemelo
de Robinson)

¡Mecachis!
Llorenç Puig

QUERIDO don Baldomero:

¡Vaya gracia! Sí, sí, vaya grandísima gracia que cuando todo el mundo está de vacaciones y puede pasarse todo el santo día jugando con los regalos de Navidad, yo tenga que ponerme a escribir cartitas como ésta. ¡Es que no hay derecho, la verdad! Y usted todavía diciendo que no me lo tome como un castigo, que me ayudará a mejorar mi expresión escrita, que... ¿Ah, sí? ¡A ver quién es el guapo que se lo traga...! ¿Y qué es esto sino un castigo y de los grandes? Sin ir más lejos, por ejemplo, ahora mismo podría estar en plena guerra de nieve con los mellizos del cuarto segunda, que ya de buena mañana me han venido a buscar nada más levantarse y ver las calles y los tejados cubiertos con un palmo de nieve. ¿Y qué estoy haciendo ahora? Pues mirarlos desde aquí arriba, mientras me entra una rabia por dentro que me retuerce las tripas.

—¿Puedo ir a jugar con ellos? —le he preguntado a mi madre cuando los mellizos han llamado al timbre.

—¿Cuántas cartas llevas escritas a don Baldomero? —me ha preguntado ella.

—Ninguna... —he contestado, porque, eso sí, yo, la verdad siempre.

—¿Ni una tan solo? ¡Hala!, pues déjate de guerras y ponte a escribirle, que buena falta te hace —ha dicho ella, así, muy tajante.

Me ha dado un ataque de rabia tan fuerte que habría mordido a un cocodrilo si lo hubiese tenido al lado. ¿Se comprende, verdad, don Baldomero? Y menos mal que con mi madre siempre acabamos pactando. ¿Se ha dado cuenta de que la carta está escrita con ordenador? Es que mis padres nunca me permiten utilizarlo porque dicen que lo primero es aprender a escribir a mano y con buena letra. Pero yo he dicho que o la escribía con el ordenador o nada. Y cuando ya me iba a encerrar en el lavabo, que es mi refugio preferido cuando las cosas se ponen feas, he oído que mi madre decía:

—Bueno, venga, de acuerdo. ¡Pero mucho cuidado, eh! Trátalo bien, que es nuevecito...

Mire, que quede entre nosotros, don Baldomero, pero en casa me pasa como en la escuela. Sí, que tengo fama de ser un poco chapucero, de hacerlo todo más con los pies que con las manos, de no ser muy meticuloso que digamos... Sí, sí, no diga que no, porque usted también me considera un poco así. Siempre me la cargo por cosas que no he hecho. ¿Se acuerda de la pecera? Muy bien, vale, ya sé que la rompí yo y bastante pena me dio el pez trompeta, pobrecillo, que fue a dar rebotado debajo de la tarima y allá que lo encontramos bien rebozado de tiza, con la boca más abierta que un tenor dando un do de pecho (¡uf!, menos mal que se salvó, que si no, me hubiese remordido la conciencia toda la vida). Ah, pero ahora vaya usted y pregúntele a Nacho quién fue el que me clavó una punta de bolígrafo en la nalga derecha porque tenía prisa para salir al patio y se ve que yo le obstruía el paso. Di un salto tan grande que me llevé la pecera por delante como le hubiese podido suceder al más pintado, a usted mismo si le pinchan en el trasero, que anda que no duele... Y Nacho, listillo él, tirando el boli al suelo sin que nadie lo viese y luego diciendo que él no había hecho nada, angelito del cielo... Y yo, dos sábados limpiando la escuela todo el santo día, que no está mal.

¿Y qué me dice de la historia del violín de Ricardo, el «Gafitas»? ¿Se acuerda, verdad? «Gafitas» me lo dejó con toda su buena fe, que mira que es un buenazo de los que no hay... Y yo, viendo que con aquel aparatejo de madera barnizada, cuatro cuerdas y aquella especie de rascador que llaman arco, se podía conseguir la música que él toca cuando ensaya, pues nada, que quise ver qué tal me salía y me fui animando, animando, y tanto me animé que cuando Marisa me dijo que a ver si me salía el «Patio de mi casa»... lo probé, y vuelta a probarlo, y cada vez me parecía que sonaba más parecido.

Y los otros pazguatos, venga a aplaudir siguiendo el ritmo, y yo, rasca que te rasca cada vez más deprisa. Tan lanzado iba que ya me sentía un virtuoso del violín, un Paganini, como quien dice, hasta que de improviso se rompió una cuerda y luego otra que le siguió. Y cuando, con la cuerda que quedaba, ya iba a dar la nota final, hice un movimiento demasiado brusco con el arco y éste se me clavó en uno de esos agujeros en forma de ese mayúscula que llevan todos los violines, y, claro, el concierto se acabó en seco como la «Inacabada» de Schubert, con el arco partido en dos, el violín reventado y las gafas de «Gafitas» en el suelo, rotas del patatús que le dio. Y los demás tontainas dándose un atracón de reír, los sinvergüenzas. ¿No se daban cuanta de que toda la culpa era de ellos? ¿Por qué me animaban tan entusiasmados si ya olían que todo aquello terminaría mal?

Bueno, claro, yo un poco desastre sí soy, lo reconozco. Pero tampoco hay para tanto. Lo que pasa es que tengo mala suerte, no sé cómo me las arreglo. Lo mismo que el otro día en clase de dibujo: estaba terminando un apunte del natural de unas ánforas griegas que me salían requetebién y va la Julita y se le vuelca el tintero y, ¡hala!, toda mi lámina chorreando tinta china. ¡Y ella más tranquila que una lagartija tomando el sol, diciendo que no había sido, que era yo quien lo había volcado de un codazo! ¿Se da cuenta? ¡Siempre igual! (También que quede entre nosotros, don Baldomero: ya no soporto más a la bruta de Julita. Se lo pido por favor: Cuando reanudemos las clases después de Reyes, cámbieme a otro pupitre que esté bien lejos del de ella. Aunque lo justo sería cambiarla a ella, que es la que más incordia. Gracias. Que Dios se lo tenga en cuenta.) Menos mal que usted me dijo que, como ya era imposible arreglar nada, lo que se podía hacer era aprovechar aquellas manchas y lo que quedaba de las ánforas para convertir la lámina en un colage, que dice usted que es una técnica muy sufrida (y un gran invento, digo yo). Así que le pegué unos trozos de papel de periódico y repartí sobre ellos unas cuantas huellas dactilares (las hice con los dedos de Julita bien mojados con tinta; que se ensucie también un poco ella, ¿no le parece?). En fin, que todo tiene remedio. El pez trompeta sobrevivió, al bueno de «Gafitas» le arreglamos el violín y las gafas y al colage usted le puso un aprobadillo de nota. Justo, pero aprobado. ¿Qué más se puede pedir?

A mí, se lo digo de verdad, don Baldomero, lo que me gustaría es que todddo mme saaaliese bbbien liiimPpioooo y% bi/en
bo-nit-o, ¿ssaaabee us@teed?#*. ¡Aaanda!, ¿ahhhoraa quuue leee ————/
pppaassa a eSTTAa BBUUUURRRRAAA de mááái-

quiiinaa + ? . A&diióss. Feeelizzzz añññño nuuuevvo.
LA quuee se vvvvvvva a arrmmaR !!!!. . La
hhe@——heccho bbbbuenna.....! !Seeeee mmmme
vva a caaaaaeeer #el
pe——————lo !!!!
  ¿LO veEe % cómmoooo——————o** 0
sieeemmppre me ToCa a mííí la
cchhiiiinnA ? MEEECCaaacccccccchhissssss !!!!!!
      > = 0— }ç < + Ooe | ...... []
 * * * /@ = — 0 } Ç Ç ae'' ¨ {0.

%#@ä¨{}[&

Guillermo

Caracolerías
Fernando Pulin Moreno

ERA el caracol más gracioso del bosque.

Bueno, la verdad es que ser el caracol más gracioso del bosque no tenía mucho mérito, porque todos los caracoles del bosque eran unos plastas de mucho cuidado, capaces de aburrir a las ovejitas del nacimiento.

Él era un caracol normal, como todos, sólo que se sabía un chiste, y lo contaba de vez en cuando. Y no creáis que lo contaba así, de cualquier manera, al pasar. No. Lo anunciaba antes.

Tenía un amigo escarabajo al que se le daba muy bien pintar con *spray*, que días antes —bastantes días antes de la actuación— le colocaba un letrero en el caparazón. Algo así como:

«Atención. El día dieciséis de este mes (y estábamos a día uno) voy a contar el chiste en la piedra plana al lado de la tomatera bajita, a la derecha del camino de la izquierda de los dos que bajan al río desde la peña grande que está al lado del roble ese en el que cayó un rayo el verano antepasado».

—¿Por qué no ponemos «donde siempre»? —preguntaba el escarabajo, preocupado por toda la pintura que tenía que gastar. Porque lo cierto es que el caracol contaba siempre el chiste en el mismo sitio.

—No, no. Hay que dar las señas, porque imagínate que haya gente que no sepa dónde es «donde siempre» y se quede sin escuchar el chiste.

—Bueno, bueno, lo que tú digas, pero esto es una pasta de pintura...

Días antes de la actuación —tres o cuatro—, el caracol sólo comía hojas tiernísimas de flores, para aclararse la voz, y hacía gimnasia de cuernos a fin de estirarlos y encogerlos con destreza y prontitud, y así reforzar sus palabras con gestos. Luego, se metía en su caparazón a meditar y repetir el chiste para no equivocarse, y así se pasaba las horas.

Si éste era el caracol más gracioso del bosque, podéis daros una idea de cómo eran los demás.

Al fin llegaba el gran día. Se levantaba temprano, al amanecer, y salía hacia la peña, lugar astutamente elegido, porque estaba al lado de su casa y llegaba enseguida, y allí se quedaba, a la sombra de la tomatera, escuchando los comentarios.

—¡Anda...! ¡Si hoy es cuando cuenta el chiste! ¿Vas a venir?

—Creo que sí. He venido las últimas doce veces, y ya le estoy cogiendo la gracia.

Y el caracol, desde la peña, se estremecía del gusto que le daba ser el centro de la atracción.

Como en el anuncio no ponía hora, y como, además, para encontrar un reloj en el bosque hacía falta una suerte tremenda, los caracoles iban llegando poco a poco, cuando buenamente les apetecía, en grupos o solos, y se iban encaramando a la piedra plana. Si hacía mucho sol, la piedra se iba calentando según avanzaba el día, y los últimos caracoles en llegar intentaban, sin mucho éxito, avanzar a saltitos para no quemarse la tripa. Decían «¡Uff...!», «¡Puff...!» y cosas por el estilo, y tomaban un gracioso color rosa, que admiraba a sus conocidos.

—Qué, ¿de la playa...? —les preguntaban los otros.

—Ca..., de la piedra —respondían ellos.

Cuando el caracol consideraba que el público era suficiente, se estiraba, levantaba los dos cuernos rectos todo lo alto que le era posible, y lanzaba un par de tosecillas:

—Ejem, ejem...

Se escuchaban voces:

—¡Que empieza...!

—¡Callaos, que va a contarlo...!

—¡Venga, venga!

Y luego se hacía un silencio tan grande como sólo pueden hacerlo los caracoles.

Y él empezaba:

—¿A que no sabéis...?

Y, dejando un cuerno estirado, bajaba el otro hasta la horizontal, señalando al público.

—¿A que no sabéis...?

Repetía y, con el cuerno bajado, describía un arco de izquierda a derecha, lo encogía y lo elevaba de nuevo, al lado del otro.

—¿A que no sabéis cuál es el animal que no se sabe si viene o si va?

Y, con una habilidad increíble, conseguía hacer un signo de interrogación con un cuerno. Sólo un momento, porque incluso a él mismo le parecía que aquello era pasarse un poco. Así es que volvía a estirar el cuerno y colocaba los dos en «V», como si fuera una antena de televisión. Y continuaba:

—¡La caracola! ¡Cara-cola!

Se escuchaba un murmullo entre los caracoles, que iba en aumento, hasta que algunas voces reclamaban:

—¡Que lo explique! ¡Que lo explique!

Y él lo explicaba:

—Cara-cola. Que tiene cara de cola, así es que cuan-

118

do se la mira, como no se sabe si es la cara o es la cola, no se puede saber si viene o si va.

—¡Absurdo! —protestaba siempre el mismo caracol, que todas las veces se daba por aludido—. ¡Absurdo! No teniendo cuernos en la cola, nadie puede confundirse.

—¡Es un chiste...! —se desesperaba el caracol—. ¡Entiéndelo...! Caracola, Cara-cola... ¿No te hace gracia...?

—¿Cómo me va a hacer gracia que me digan que tengo cara de cola? ¡Suena fatal...!

Y no era sólo eso. Luego intervenía, también siempre, el mismo caracol:

—Y digo yo. Supongamos que hubiera una caracola que tuviese marcha atrás. Aunque admitamos que pudiera tener cara de cola, no podríamos asegurar nada acerca de si iba o venía, porque, ¿y si venía marcha atrás? Aunque le viésemos la cola, venía. ¿Y si se iba marcha atrás? Aunque le viésemos la cara, se iba.

Al caracol le daban ganas de llorar y abandonar aquello.

—¡Es un chiste...! ¡Sólo eso...! Cara-cola. Caracola. Cara de cola. ¡Un chiste...!

—Siempre dice lo mismo, pero al final siempre hay lío —comentaba un caracol gordo, bajando con dificultad de la piedra plana.

Aquel año se terminó lo de los chistes del caracol. Harto de que le pusieran verde, decidió inventar otro.

—¿A que no sabéis...?

Hizo lo de los cuernos para arriba, para abajo y en signo de interrogación.

—¿A que no sabéis cuál es el animal que parece un vegetal?

Hizo un par de gracias más con los cuernos, y dio la solución:

—El caracol. Cara-col. Cara de col.

Silencio de sorpresa. Murmullos. Voces.

—¿La col es eso de hojas verdes, grandes y jugosas?

—Sí. Eso.

Silencio. Luego, una voz:

—Pues si os fijáis bien...

El caracol contempló horrorizado cómo todos los espectadores se dirigían hacia él, relamiéndose. Dio la vuelta y huyó corriendo como no había corrido en su vida.

En el bosque donde vive ahora encuentran que es buena gente, pero un poco soso.

3.000 días de colegio
Roberto Santiago

Lo peor de las clases de matemáticas no son todos esos números y operaciones, ni que el profesor de matemáticas sea un cabeza cuadrada, ni siquiera los deberes y los problemas para casa. Lo peor de las clases de matemáticas son las clases de matemáticas.

Mi nombre es Daniel y en mi colegio muchos profesores que se creen muy graciosos me llaman «Daniel el travieso» y después sonríen y se rascan la cabeza como si hubieran dicho algo muy divertido o muy original. Estoy en quinto curso y he suspendido matemáticas tres veces seguidas, así que mis padres fueron a ver a mi profesor de matemáticas y él se puso muy serio y dijo: «Daniel no pone interés». Después también dijo: «Daniel no presta atención». Y cuando mis padres ya se habían puesto de pie para marcharse, aún tuvo tiempo para decir: «Daniel no progresa». Yo estaba al lado de mis padres poniendo cara de buena persona todo el tiempo y pensando que aquella reunión no se iba a terminar nunca. El profesor de matemáticas me miró, me pasó una mano por encima del hombro y me dijo que las matemáticas están en todas las cosas de la vida. Esto fue lo que dijo: «Las matemáticas están en todas las cosas de la vida, Daniel, en todas». Lo dijo como si acabara de descubrir América o algo así. Al final decidieron entre todos que lo mejor para mí era ir a unas clases de recuperación los lunes, miércoles y viernes después del colegio.

Las clases de recuperación también las da mi profesor de matemáticas. Él dice otra vez lo mismo que ya ha dicho por la mañana y yo lo vuelvo a copiar en mi cuaderno. Así que tengo copiados los mismos problemas y las mismas explicaciones dos veces. Yo creo que en lugar de clases de recuperación deberían llamarse clases de repetición.

A las clases de recuperación sólo vamos unos pocos chicos de mi curso y también Matías, que es hijo del profesor y que tiene un año menos que nosotros. Matías está gordo y que yo sepa es el único de mi colegio que tiene un balón de reglamento firmado por todos los jugadores de la selección. Aunque Matías está en cuarto, va a las clases de recuperación de quinto porque su padre quiere que se vaya preparando para el año que viene.

El primer día que yo fui a las clases de recuperación, Matías se acercó y me preguntó:

—¿Por qué vienes a las clases de recuperación?

—Porque me da la gana —respondí.

—¡Vienes porque mi padre te ha suspendido! —dijo.

El gordo Matías habla muy deprisa y casi gritando, como si tuviera miedo de que no le fueras a escuchar.

El segundo día que fui a las clases de recuperación, me preguntó:

—¿Tú sabes hacer divisiones con decimales?

—Más o menos —contesté.

—Pues yo sí —dijo—. Sé hacer divisiones con decimales, y como voy adelantado, mi padre me ha enseñado a hacer raíces cuadradas.

El tercer día, Matías se sentó a mi lado y me dijo:

—¿Cuántos días de su vida pasa un niño en el colegio?

—¿Cómo? —me asombré yo.

—No, *cómo* no..., cuántos —dijo él.

—No tengo ni idea —respondí.

—Es muy sencillo, mira: yo empecé a ir al preescolar a los tres años... —dijo.

Y luego siguió hablando y echando cuentas de los años que pasa una persona en el colegio desde que nace hasta que se marcha a la universidad o a trabajar o a donde sea. Y, por lo visto, son quince años aproximadamente. Y cuando terminó con los años, siguió hablando de la cantidad de días que íbamos al colegio cada curso, desde septiembre hasta junio. Y al parecer son más o menos doscientos días. Matías es capaz de tirarse una hora hablando de números y de multiplicaciones, igual que su padre. A lo mejor por eso Matías no le cae bien a muchos chicos. O a lo mejor es sencillamente que no les cae bien porque tiene un balón de reglamento firmado por todos los jugadores de la selección. No lo sé. Ni siquiera sé si a mí me cae bien.

—Doscientos multiplicado por quince, igual a tres mil —dijo Matías.

—Tres mil ¿qué? —dije yo.

—TRES MIL DÍAS —contestó—. Ése es todo el tiempo que pasamos en el colegio.

—¿Tres mil días? —dije, pensando en la cantidad de clases de matemáticas que se pueden dar en tres mil días.

—Parece mucho —comentó—, pero es pura matemática.

Y después añadió:

—Las matemáticas están en todas las cosas de la vida, Daniel. En todas.

Aproximadamente, éstas son las tres mil cosas que menos me gustan de Matías: que diga las mismas cosas que su padre, que sea de cuarto y venga a las clases de recuperación con los de quinto, que hable como si lo supiera todo, que luego resulte que es verdad que siempre lo sabe todo, que se siente a mi lado... y otras muchísimas más que ahora no voy a decir, porque tardaría mucho y además porque no me apetece.

Un día alguien le robó el balón de reglamento a Matías. Dijeron que habíamos sido los de quinto. No sé de dónde se sacaron eso, pero el caso es que nos castigaron a todos sin salir al recreo hasta que apareciera el balón de Matías. El balón no apareció. El jefe de estudios dijo que éste era «un triste acontecimiento». El profesor de matemáticas dijo que era «intolerable». Y el director del colegio también vino a vernos y dijo muy serio que era «inaceptable». Pasamos una semana entera sin salir al recreo.

Al final, hicimos una colecta entre todos los de clase y compramos un balón nuevo. Me eligieron a mí para dárselo a Matías. Decían que yo iba con él a las clases de recuperación y que yo hablaba muchas veces con él y que yo tenía que convencerle de que aceptara nuestro balón.

—¡Pero este balón no tiene las firmas de los jugadores de la selección! —dijo Matías gritando, como siempre.

Su padre estaba delante y me miraba con esa cara que pone cuando te va a suspender. Yo sabía de sobra que ese balón no tenía las firmas de los jugadores de la selección, pero también sabía que si Matías decía que no quería el balón nos podíamos quedar todo el año sin recreo.

—Ya lo sé, pero tiene unas firmas mucho mejores —le expliqué.

—¿Mejores que las de la selección? —se extrañó.

—Sí, tiene nuestras firmas —dije.

Y era verdad. El balón tenía la firma de los treinta y tres chicos de quinto A. Y le dije que se lo habíamos comprado no sólo porque queríamos que nos perdonara, sino también porque queríamos que jugara con nosotros. Después le expliqué a Matías que su balón sólo tenía once firmas, y que éste tenía treinta y tres firmas, o sea, el triple.

—Así que este balón es tres veces más valioso —dije—. Pura matemática.

Matías se quedó pensando un momento. Miró su nuevo balón y me miró a mí. A lo mejor estaba echando cuentas. Al final cogió el balón y dijo que fuéramos a jugar.

—¡Vamos a jugar! —dijo.

Creo que aquello no tenía nada que ver con las matemáticas. Y también creo que después de todo Matías prefería jugar al fútbol que andar haciendo multiplicaciones con su padre.

Fuimos al patio y jugamos al fútbol.

Después, el jefe de estudios dijo que de momento nos levantaban el castigo, pero que este asunto no iba a quedar así.

El jefe de estudios siempre tiene que decir la última palabra, a lo mejor por eso es el jefe de estudios.

Todavía pueden pasar muchas cosas antes de que termine el curso. Puede aparecer el balón de Matías. Puede que el jefe de estudios se olvide de todo. Incluso puede que yo apruebe las matemáticas. ¡Quién sabe!

En tres mil días de colegio puede ocurrir cualquier cosa.

La Coliflor Maldita
Emili Teixidor

OCURRIÓ que a mis amigos Cacho Nacho, Ricardo Cara de Cardo, Pepita la futbolera y a mí nos echaron del equipo de fútbol titular del colegio. Antes no éramos tan amigos como después de la expulsión, pero cuando nos reunieron a los cuatro en el despacho del director de deportes para decirnos que la temporada que empezaba aquel octubre el entrenador *míster* Palangana no contaba con nosotros, al cruzar nuestras miradas desilusionadas comprendimos que acabábamos de convertirnos en víctimas del mismo injusto rechazo, compañeros obligados a compartir el mismo banquillo de los torpes.

¿Motivos? Según él, bajo rendimiento, mala condición física, ausencias injustificadas en los entrenamientos, ciertos brotes de indisciplina... y, sobre todo, el ingreso de nuevos alumnos que podían suplir nuestras bajas y mejorar nuestro juego, todo lo cual redundaría —según él— en más éxitos para el equipo que era el equipo que nos representaba a todos.

—Podéis apuntaros a otra actividad más acorde con vuestras capacidades físicas —dijo el director sin mirarnos a la cara.

Así inventamos el juego de la coliflor maldita, más acorde con nuestras capacidades físicas y mentales. Pero no fue inmediatamente. El calvario de la expulsión duró varias semanas en las que cada anuncio de entrenamiento, cada victoria del equipo, cada salida deportiva de fin de semana contra los rivales era un suplicio añadido al tormento de no saltar al campo a sudar la camiseta.

Los compañeros de clase, y sobre todo los antiguos compañeros de equipo, nos empujaron con su trato deferente a la amistad entre los cuatro condenados. La suavidad de sus comentarios, los silencios que frenaban sus entusiasmos deportivos, el apartamiento en el que nos dejaban en los recreos y entrenamientos, el polo de atracción opuesto que representaban los nuevos fichajes, escolares y deportivos crearon una zona de peligro a nuestro alrededor que nos obligó a juntarnos y a protegernos. Nos sentíamos como ingresados en una UVI ambulante con anestesia deportiva.

Empezamos por crear un lenguaje para nuestro uso exclusivo, que nos servía a la vez de protección y de refugio. Así *míster* Palangana, el entrenador, al que llamábamos cariñosamente así por su afición a ejercer también las tareas de enfermero y masajista, pasó a denominarse el Palas, o el cerdo Palas. Dos días después de la notificación, tuvo el morro de saludarnos por el pasillo del gimnasio para darnos un par de golpecitos en la espalda y decirnos con aire de perdonavidas:

—El equipo os agradece los servicios prestados y espera vuestro apoyo incondicional. Vamos a meter más goles que nunca. Recordad nuestro grito de guerra: ¡Nacidos para vencer! ¡Sólo importa el triunfo!

¡El tío nos recordaba a nosotros que sólo le importaban los elegidos para la gloria del campeonato! ¿Significaba eso que nosotros no habíamos nacido para vencer, y que la derrota empezaba por nuestra expulsión de los campos maravillosos del fútbol? Y tuvo la desfachatez de añadir a la pobre Pepita:

—Quizá puedas dedicarte a árbitro, ahora que la federación parece más abierta a los equipos femeninos. Así podrán cantarte con razón aquello de «Pepita, juega, / Pepita, pita, / cuando se mueve / es la más bonita».

Pepita tuvo un gesto de orgullo herido y le soltó un fuerte:

—¡Machista!

Porque la pobre Pepita se había sacrificado por el fútbol y había aguantado tantos chaparrones, que sólo una mole de carne insensible como la de *míster* Big Pig Palangana podía tratarla de aquella manera. Hacía tres años, tres cursos, tres temporadas que la pobre Pepita esperaba contra toda esperanza, eternamente sentada en el banquillo, el permiso para jugar con los chicos en el equipo. Sólo la benevolencia de los compañeros, que la admitían en los entrenamientos menos estrictos, le permitía tocar la pelota. Era un caso de vocación ejemplar. Le habían hecho perder el tiempo con excusas: que si el reglamento, que si la federación, que si los equipos rivales..., para llegar al mazazo final de la exclusión definitiva.

Nuestros casos eran distintos. Cacho Nacho, o Nacho a secas, que lo de Cacho le venía por los kilos de más que le acechaban siempre alrededor de la cintura, había engordado de manera infame y contra toda prudencia aquel verano de vacaciones, según él, inolvidables. Mientras él recordaba las vacaciones en Ibiza, el fútbol se olvidaba de él. Ricardo Caracardo, tan feo, pecoso y picado de cara como su apodo indica, había sido eliminado por amor: el curso anterior se había enamorado de una chica del curso superior y no hacía más que pensar en ella y perder entrenamientos y concentraciones para poder ver a su Elena. Una Elena que al final le dio calabazas. Y lo mío era pura tontería. Nada, que de vez en cuando me daban unos bajones terribles y me ponía criticón y venga a pensar que tanto esfuerzo por ganar no valía la pena, que lo mejor sería jugar por jugar, el juego por la belleza del juego, el barón de Coubertin y el espíritu olímpico... y, según *míster* Palangana, esas reflexiones comunicadas a mis compañeros minaban su confianza, debilitaban la fuerza moral del equipo y echaban por los suelos sus arengas sobre esas monsergas de que éramos los mejores y debíamos salir a jugar convencidos de que nos íbamos a comer el hígado de los rivales.

—No es verdad que el mundo sólo sea de los vencedores —dijo Pepita, que en nuestro rincón del patio durante el recreo se ponía filosófica—. El mundo es de todos, incluso de los que no pueden jugar.

—Pero se pasa mejor jugando —dijo Ricardo.

—Y con la victoria en las manos —añadí yo.

—¿Qué pasa cuando un equipo pierde? —preguntó Nacho.

—Que baja de categoría...

—Que pierde puntos y aprende de la derrota...

—¡Y, sobre todo... —exclamó Nacho—, que pide el desquite, la venganza, la represalia..., en fin, el darle la vuelta a la suerte y probar de nuevo!

—¿Qué podemos hacer en nuestro estado? —dije yo. Nacho se tocó la cabeza.

—Echarle imaginación al asunto. ¡Cabeza, tíos, cabeza!

Así surgió, entre los cuatro, la idea de la coliflor maldita. Se trataba de mandar, después de cada partido, una coliflor pintada de azul, amarillo o rosa, a los peores jugadores de la jornada.

—Incluido el entrenador, claro —puntualizó Cacho Nacho.

—¿Por qué pintadas de colorines? —preguntó Caracardo.

—Para más mofa y escarnio. En serio, para que se den cuenta de que va con mala intención, con recochineo.

Y así, tras cada partido y gracias a los repartidores de pizzas que dirigía el hermano mayor de Ricardo, los jugadores que habían jugado mal, con fallos imperdonables o simplemente con rendimiento bajo o cansancio evidente, recibían una magnífica coliflor rosada, envuelta en papel de plata y presentada en una caja de cartón cerrada, con pinta de regalo caro. Unas cintas adhesivas de un dorado perfecto, servicio de la tienda de regalos de los padres de Pepita, acababan de dar el pego. *Míster* Palangana recibía una cajita por cada gol que metían a su —¿nuestro?— equipo. A coliflor por gol. La primera jornada repartimos cinco: tres goles para el entrenador, una para el portero pifia y otro para el nuevo delantero rubiales que falló un penalti.

La reacción tardó cinco semanas en producirse. Se produjo precisamente cuando los cuatro socios de la Coliflor Maldita, reunidos en nuestro apartado rincón habitual, nos encontramos analizando las incidencias del último partido. Se nos acercó Paco Matraco, un chaval escuchimizado y con gafas de culo de botella, que se había ganado el apodo por lo ruidoso e insistente de sus chismorreos y habladurías. No dejaba de dar matraca a cada instante. Siempre estaba con un «¿Os habéis enterado...?» en la boca.

—¿Os habéis enterado de lo de las coliflores mágicas?

Pusimos cara de inocentes y el Matraco soltó la matraca: que si los peores jugadores del equipo titular recibían en su domicilio tras cada partido, o a veces al día siguiente, una coliflor pintada, como castigo a su mala actuación, que si el entrenador había impuesto un pacto de silencio a todo el equipo cuando algunos habían comentado indignados la broma, que la insistencia en los regalos les había puesto nerviosos y había minado la moral de victoria, que desde la recepción de las coliflores no habían ganado ningún partido, que se había enterado a través de la portera de la vivienda del entrenador que éste era el que más coliflores recibía, una por cada gol que les metían, que la alta dirección escolar y deportiva había dado orden de búsqueda y captura de los culpables, que se habían iniciado las averiguaciones, que los primeros sospechosos eran los componentes de dos equipos rivales aunque no se descartaban enemigos infiltrados..., y la última noticia, que Gonzalo, el rubiales novato que había desplazado de su puesto a Ricardo, había arrojado la toalla tras cinco coliflores de calificación semanal, se había hundido y había anunciado ante el escándalo del entrenador que no podía soportar aquella burla, que con la moral deportiva por los suelos se sentía incapaz de defender su área y que abandonaba.

—¿Qué os parece? —acabó el Matraco—. Aunque han prohibido pronunciar la palabra coliflor y nadie habla de ello, cada lunes todo el mundo espera la cara de pena de los colifloreros, como los llaman.

—Pues nos parece que en vez de coliflores mágicas debieran llamarlas coliflores malditas —se rió Cacho Nacho.

Con las investigaciones en marcha, tuvimos que extremar los cuidados para hacer llegar los obsequios a sus destinos. A partir de aquel momento utilizamos toda clase de recaderos, mensajeros y repartidores, para ocultar la procedencia. Incluso llegamos a atrevernos a entregar las cajas con la coliflor nosotros mismos en la portería, cuando la había. Y al final, cuando el equipo iba de mal en peor, comido el ánimo y pateada la arrogancia, enviamos por correo cajitas conteniendo sólo un brote de coliflor, eso sí, bien coloreada, para salvaguardar nuestro anonimato.

La dirección llegó a contratar una especie de detective privado para descubrir la procedencia de los envíos, pero el detective resultó tan malo que no descubrió nada y en cambio todos los alumnos descubrimos, Paco Matraco el primero, que el individuo era un primo del director que no había logrado aprobar el ingreso en la Escuela de Policía.

El equipo llegó a darnos pena. Contrataron un psicólogo deportivo para levantar la moral de los jugadores, pero el psicólogo resultó ser un liante y llegó a convencerlos, tras varias sesiones de terapia de grupo, de que el autor de los envíos era un miembro del equipo que en el fondo no deseaba ganar o bien odiaba a los triunfadores, y los mismos jugadores debían descubrir quién era.

—En el fondo alguno no desea ganar porque el papel de víctima inspira más compasión e indulgencia que el de vencedor —decía—. El vencedor debe esforzarse en conservar su victoria; en cambio, el perdedor lo único que hace es lamentarse de su mala suerte y lamer sus heridas en silencio.

Total, que todos se convencieron de que en el fondo, muy en el fondo, eran unos perdedores y ya no querían meter goles. Lamentable. Hasta que un día, en clase de literatura, saltó la liebre. La profesora nos dijo que el primer poeta que comparó una chica a una rosa fue un genio, pero el segundo un imbécil. Y luego nos contó la historia de una escritora gorda y americana que enseñaba a escribir bien a periodistas que luego fueron grandes novelistas, mostrándoles la manera de ser originales pero a la vez sencillos y ordenados, para lo cual les obligaba a escribir o a recitar como una letanía: *una rosa es una rosa es una rosa...*

—¿A qué flor compararía una chica mona un poeta actual? —se atrevió a preguntar.

Inmediatamente se oyó el vozarrón de Cacho Nacho que soltaba, como si le hubieran pinchado el buche:

—¡A una coliflor!

Se hizo un silencio de muerte. Ni una risa. Un silencio helado de desierto siberiano. Todas las miradas se habían vuelto hacia el atrevido que acababa de pronunciar la palabra tabú. Cacho Nacho se tiñó de rojo delator. Como un tomate reventón. Lentamente se levantó de su asiento en primera fila el capitán del equipo, Macho Nacho para distinguirlo de nuestro Cacho Nacho, y vimos cómo se acercaba con cara de ningún amigo al pupitre del Nacho perdedor. Inmediatamente se levantó el acomplejado rubiales Gonzalo para acercarse también al que había proferido el grito de guerra. Le siguieron Paco Matraca, en servicio de información, y todos los componentes del equipo más los curiosos y curiosas habituales. Sólo quedamos clavados a nuestras respectivas mesas Pepita la futbolera, Ricardo Caracardo y yo. La profesora nos miraba desde su tarima con cara de fiscal acusador.

—¿Qué sabes tú de coliflores? —fue una de las muchas frases en tono de interrogatorio policiaco que los jugadores dirigían a Cacho Nacho.

—Si se te ha ocurrido esta palabra tan de inmediato es porque te rebosaba el inconsciente de coliflores.

—Complejo de culpabilidad se llama a esa confesión espontánea e involuntaria.

—¡Qué complejo ni culpa ni carajo, si lo ha dicho con recochineo!

—Hay que darle una lección ejemplar.

—Nos ha puesto en el último lugar de la liga. ¡Nos ha robado todos los puntos!

En medio de la confusión de gritos y gestos de amenaza sólo escuchamos un par de frases de nuestro Nacho, en las que seguramente sin pensarlo —otra vez el maldito inconsciente— acababa de firmar su confesión:

—¡Ni castigo ni nada! ¡Que yo sepa, enviar coliflores a los torpes e incapaces no es ningún delito! ¡Creíamos que erais imbatibles, nacidos para triunfar y todas esas gilipolleces! ¡Y resulta que el equipo de los expulsados os puede derribar de un tiro de coliflor!

Esta última excusa hizo volver la cabeza a todos los agrupados en torno al confesado para fijarse en nosotros, los tres inmóviles en nuestros asientos.

—¡Son ellos! —fue el grito que los empujó a despegarnos de nuestros asientos y a arrastrarnos a un rincón de la clase, los cuatro socios juntos. Ya empezaban a pasar de los insultos a las agresiones cuando la aparición del director y el entrenador nos salvó no sé si la vida pero la cara seguro.

El resto es historia. Historia escolar, por supuesto. Vivimos un par de semanas de reuniones, interrogatorios, consejos disciplinarios, ostracismo en todos los espacios escolares, amenazas familiares, peligro de expulsión y expedientes disciplinarios..., hasta que por fin se impuso la cordura gracias al psicólogo liante, el detective calabazas y la profesora de literatura, que se convirtieron en nuestros abogados defensores. *Míster* Palangana era el fiscal jefe y reclamaba pena de muerte académica. El mejor argumento de la defensa fue éste, según fuentes de Paco Matraco:

—No se puede valorar el triunfo como máximo valor deportivo y luego castigar a los que han triunfado sobre el equipo. Hay que aceptar la derrota con deportividad.

—Ellos no entraban en la competición.

—Lo malo, o bueno, es que todo es competición.

—¡Hay que respetar las reglas del juego!

Y la prueba definitiva:

—¿Hubierais aceptado un ramo de flores, aunque fuera anónimo, en caso de victoria?

Total, una sentencia de compromiso, como casi todo lo que sale del consejo escolar. Nacho Cacho tuvo que comprometerse a perder seis kilos como mínimo y encargarse de la limpieza de vestuarios hasta que pudiera incorporarse de nuevo al equipo como suplente. Pepita se inscribiría en un cursillo para árbitros, y al final se decidiría qué equipos, masculinos, femeninos o mixtos si había, podía pitar. Ricardo Caracardo se incorporaría hasta final de temporada a los encargados de cuidar el campo, no digo el césped, y las señales antes de cada partido en casa. Y yo pasaba a secretario del entrenador, *Míster* Big Enterprises desde ahora, para ayudarle en el archivo de actas, cartas, papeleo... y a redactar el acta no oficial, sólo para uso interno, de cada partido, con el compromiso solemne de usar el jabón, el incensario e incluso las metáforas patrióticas para enardecer a los jugadores y blindar al equipo del virus del desaliento. Esas crónicas deportivas se publicarán en la nueva hoja informativa, llamada por los elementos oficiales *Revista Escolar*, que va a publicarse en breve a cargo del grupo del taller de lectura. Ni la más vaga promesa, en mi caso, de volver a vestir la camiseta. Primer gol que intentamos colarles en esta nueva etapa: el título de la revista va a ser *La Coliflor Maldita*. Como dice el entrenador, no hay que ahorrar nunca los tiros a la puerta.

Lucas
Rocío de Terán Troyano

VILLAGRANDE era un pueblo bonito, con una plaza de soportales y una fuente con cuatro caños en el centro. Además, tenía instituto y un centro cultural con muchas actividades. A Ana y a Miguel les gustaba Villagrande, especialmente ahora, en el verano, durante las fiestas. Había romerías, fuegos artificiales y la feria era estupenda. Y en el centro cultural se estaba celebrando un ciclo de conferencias con gran éxito.

—¿Dónde has quedado con los amigos, Miguel? —preguntó Ana.

—En los jardines del centro cultural —contestó su hermano.

Cruzaron la alameda y al final se encontraron con la tía Ángela y Lucas. La tía Ángela parecía agobiada, realmente tenía un aire angustiado, casi desesperado. Al ver a sus sobrinos, la cara se le iluminó.

—¡Qué suerte, pero qué suerte más grandísima encontraros! Por favor, tenéis que ayudarme. Mañana tenemos invitados, gente de negocios muy importante, y esta tarde tengo muchas cosas que comprar. Me ha fallado la canguro y no tengo con quién dejar a Lucas.

Miguel y Ana miraron a su primo. Lucas tenía dos años y un pelo rubiejo, tirando a panocha, que le crecía tieso alrededor de la cabeza como si fuera un halo. Le faltaba un botón del tirante del pantalón, que se le caía

137

torcido. En una mano llevaba un paquete de patatas fritas, y en la otra, un *chupa-chups*. Un enorme churrete le cruzaba la mejilla izquierda. La tía Ángela le miró desalentada.

—Os aseguro que cuando hemos salido de casa iba limpísimo —murmuró, y le pasó la mano por el pelo, que se volvió a enderezar en cuanto la retiró.

—Primof guapof —dijo Lucas estampando unos besos húmedos y pringosos en las mejillas de sus primos.

Lucas no sabía pronunciar la «s», lo que a veces hacía muy difícil entender lo que decía. Era muy tranquilo, y se podía pasar horas sin alterarse explicando que su nombre era Lucaf.

—¿Lucaf? —preguntaba la gente.

—No, Lucaf —repetía él pacientemente.

La tía Ángela, que había visto el cielo abierto, insistía:

—Por favor, ya sé que es pedir mucho, pero ¿os podríais quedar un par de horas con Lucas? Podéis comprarle un helado y no os dará la lata. Aquí tenéis dinero.

—Helado, chocolate y frefa —dijo Lucas, que se estaba comiendo unas aceitunas que había encontrado en uno de los innumerables bolsillos de su pantalón.

—Quiere decir fresa... —explicó su madre—. Lucas, ¿de dónde has sacado esas aceitunas? En fin...

A Miguel y a Ana la idea de cargar con Lucas no les hacía mucha gracia, pero comprendían que su tía estaba en un aprieto.

—No te preocupes, nosotros nos ocuparemos de él.

En los jardines, a la entrada de la feria, encontraron a sus amigos que hacían planes para la tarde. Contemplaron incrédulos a Lucas. A contraluz, los pelos le brillaban y parecían el resplandor del sol.

—Pero ¿quién es éste? —preguntaron.

—Es Lucas, nuestro primo. Es muy tranquilo, no nos molestará. Sobre todo si le compramos un helado.

—Chocolate y frefa. Primof guapof, amigof guapof.

La presencia de Lucas obligaba a cambiar los planes, así que le compraron su helado y se sentaron a decidir lo que podían hacer. Uno de los niños comentó sobre la conferencia que el profesor Mata estaba dando en el centro cultural, allí al lado:

—Dicen que habla de sus experiencias en las selvas de África.

Todos sabían algo de África, de animales, de árboles y ríos inmensos. Charlaban animadamente.

—¿Dónde está Lucas? —gritó de pronto Ana.

El niño había desaparecido. Estaba tan callado, chupando su helado con gran concentración, que nadie se había dado cuenta de que ya no se encontraba allí.

—No puede haber ido muy lejos. Vamos a buscarle —dijeron los niños.

La conferencia del profesor Mata duraba ya más de una hora, una conferencia muy documentada que trataba de animales, pantanos, mosquitos y microbios. Para ilustrarla, el profesor había llevado un mono que desde su jaula contemplaba a la gente con aire aburrido.

—Los peligros de la selva son innumerables —aseguraba el profesor Mata mirando al público por encima de sus gafas—. Los animales no sólo son salvajes, feroces, crueles... Son imprevisibles.

El telón del fondo del escenario empezó a moverse. Alguien trataba de levantarlo. Por fin se alzó ligeramente y por debajo, arrastrándose, apareció una figurita. Al principio, en la penumbra del escenario, no se distinguía exactamente qué era, pero cuando llegó a la jaula del mono se vio que se trataba de un niño.

Lucas no sabía muy bien cómo había llegado allí. Había andado perdido por el centro cultural hasta que oyó voces en el salón de actos y, una vez allí, el mono llamó inmediatamente su atención.

—Mono guapo —dijo metiendo una manita churretosa entre los barrotes de la jaula.

El mono se levantó, se estiró y se acercó al niño. Eran casi igual de altos. Contempló la mano que le tendían y le dio un par de lametones. Se relamió y pareció pensar un poco, quizá tratando de reconocer en aquella mezcla asombrosa de sabores alguno conocido. Algo le debió de gustar, porque volvió a lamer la manita de Lucas. El profesor continuaba la conferencia:

—Y sobre todo hay que insistir en el elemento más peligroso del mundo de la selva: su ferocidad.

Hasta las primeras filas llegó una vocecita:

—Mono guapo —decía Lucas, que había agarrado los barrotes de la jaula con ambas manos y trataba. de acercar su cara a la del mono. Éste se la lamió con fruición.

El público no sabía si aquello era parte del programa, nadie estaba seguro de qué estaba sucediendo, pero lo cierto es que todo el mundo lo estaba pasando estupendamente. La puerta del salón se abrió y asomaron varias cabezas con cautela.

—¡Es Lucas! —susurró Miguel, aterrado.

El profesor Mata terminaba su conferencia:

—Espero haber sido fiel a mis recuerdos y haberles expuesto rigurosamente los peligros de la selva.

El público aplaudió calurosamente. El alcalde se dirigió a la mesa donde el profesor recogía sus papeles. La mujer del alcalde se fue derecha al extremo del es-

cenario donde Lucas y el mono, sentados apaciblemen-
te, masticaban no se sabe bien qué, que Lucas había
encontrado en un bolsillo.

—Oye, niño, ¿estás solo? —preguntó.

—Primof —dijo Lucas señalando a Miguel y a Ana
que avanzaban por el pasillo.

—Si conocéis a este niño más vale que os lo llevéis
cuanto antes —dijo la mujer del alcalde, que estaba un
tanto confusa.

Eso es lo que querían Ana y Miguel: llevarse a su
primo. Pero no era fácil. Detrás de la mujer del alcalde
se habían amontonado varias personas.

—Chico, ¡vaya espectáculo! —dijo el dueño de la far-
macia, con la risa bailándole en los ojos—. Anda, toma,
cómprate un helado.

—Un helado o un jabón, ¡ja, ja, ja! —dijo el relojero,
que estaba detrás. Y metió otra moneda en el bolsillo
de Lucas.

Después, todo el que se acercaba dejaba una moneda. Lucas, que decidió facilitar las cosas, extendió una
manita de color indescriptible.

—Graciaf, graciaf —repetía educadamente.

Las luces del salón de actos se fueron apagando.
Unos encargados se llevaron la jaula con el mono,
que, enseñando unos dientes terribles, lanzaba sonidos
amistosos en dirección a Lucas.

—Mono guapo.

Salieron a los jardines. Lucas levantó sus manitas pe-
gajosas llenas de monedas:

—Primof guapof, amigof guapof, Lucaf invita.

Habían pasado más de dos horas cuando llevaron a
Lucas a casa. El niño se había dormido en el hombro
de Miguel, que le llevaba a cuestas.

—Vamos, Lucas, no te puedes dormir sin bañarte antes —dijo el tío Juan, que salió a abrir la puerta—. Y me parece que lo necesitas...

—Primof guapof, mono guapo.

—¿Qué dice de monos? —preguntó la tía Ángela.

Ana y Miguel se miraron.

—Bueno, ya os lo contaremos otro día.

Corcusinos
Carmen Vázquez-Vigo

Y O, lo que quería, era un perro. Pero ya se sabe cómo son los padres: que si ensucian mucho (mamá); que si transmiten enfermedades (papá); que si ahora dices que lo vas a cuidar pero luego me va a tocar a mí (otra vez mamá); que si meten ruido y molestan a los vecinos (otra vez papá).

Total: llegaba mi cumpleaños y me regalaban una muñeca, una caja de pinturas o — eso fue lo peor— la *Enciclopedia de los Hombres Ilustres*.

No tengo nada contra los hombres ilustres; pero es que yo, lo que quería, era un perro.

Lo volví a pedir la semana pasada porque el domingo era mi cumpleaños. Al amanecer me despertó un chasquido flojito, como si estallara una bolsa de papel. Me levanté y fui a mirar.

Mi cuarto da a una pequeña terraza donde siempre sacamos el árbol de Navidad con la esperanza de que sirva para el año que viene. Nunca se consigue.

En el suelo, entre el tiesto y la pared, se agazapaba algo peludo. El corazón se me puso a cien. ¡Un perro! Seguro que mis padres lo habían dejado ahí para darme la sorpresa.

Me agaché a su lado. Lo miré. Me miró. Sólo que yo lo miraba con mis dos ojos corrientitos y él con tres. Sí, tres, muy negros y brillantes. Además de eso, que ya es bastante extraordinario, tenía el morro en forma de bocina y unas teclas de colores a lo largo del lomo. En conjunto, daba la impresión de estar mal hecho, como si lo hubieran terminado de prisa porque era hora de cerrar.

—¡Oh! —dije desilusionada—. Yo creí que eras un perro. En su lomo se encendió la tecla roja y apareció una palabra: PULSAR. Pulsé. Al mismo tiempo que se apagaba la luz, salió de la boca-bocina un sonido metálico.

Con tono de lección aprendida de memoria, el visitante dijo:

—Soy un corcusino, especie de cánido descendiente del *chuchus callejerus terraqueus*, adaptado a nuestro planetaj con características propias y notablemente mejoradas. —Y añadió en tono normal—: Vienej en todos los diccionarios.

—Será en los diccionarios de tu planetaj —respondí, contagiada por su manera de hablar—. ¿Allá has aprendido el español?

—Claro. En el colej. Por cierto, ¿qué tal me sale?

—Bien. Sólo que pones la jota un poco a voleo.

Él entrecerró los «triojos». Parecía molesto por su fallo.

—No me extraña —comentó—. En la clase de idiomas me entra un sueño... Pero no me negarás que la jota es una letra muy españolaj.

—De lo más. Y dime, ¿cómo has venido a parar a la Tierra?

—Me han mandadoj en una cápsula espacial. Por la manía de los experimentos. Y ese árbol seco que tenéis ahí me la ha pinchadoj.

—Lo siento. ¿Sabes? También desde aquí mandaron muchas al espacio con perros dentro.

—Ya sé —dijo el corcusino—. Nosotros las usamos para tirar al blancoj. No veas qué juerga.

—¿Y los pobres perros? —pregunté horrorizada.

—Tan campantes. No les pasó nadaj. Al principio, como son tan raros, llamaban mucho la atención.

—¿Raros?

—No hay más que verlos. Dos ojos solamente y no dicen ni palabra. Perdona, pero son bastante brutos.

Se puso de patas en la barandilla y miró hacia abajo.

—Me gustaría quedarme una temporaditaj.

A mí también me hubiera gustado, pero le dije lo que pensaba.

—¿Te imaginas la que se armaría si te pongo una correa y te saco de paseo a la calle?

—No veo por qué —contestó el corcusino, muy digno y completamente ajeno a la realidad.

Yo no quería herir sus sentimientos. Dije con precaución:

—Pues porque..., porque tú también eres algo raro.

—¿Yoj?

—No importa —lo tranquilicé enseguida—. A mí me gusta que los perros no sean todos iguales. Ni los gatos ni la gente. Blancos o negros, gordos o flacos, con dos ojos o tres. Es más divertido así; pero siempre hay algún tonto que dice «no me gusta, es diferente, qué raro».

Él debía de comprenderlo, porque en su lomo se encendió la tecla verde: PULSAR. Pulsé. De golpe, el corcusino adquirió el aspecto de un caniche gris con los rizos perfectamente recortados y hasta con un coqueto lazo rosa en el cuello. Sólo que...

—Sigues teniendo tres ojos —le hice notar.

—¡Mecachis! —refunfuñó—. También me duermo en la clase de transformismo.

Estaba asomando el sol. Una burbuja transparente de buen tamaño, que venía por el aire, regateó con habilidad los pinchos del pino seco y se posó en la terraza.

—¡Mamá! —exclamó el corcusino al ver salir a una corcusina exactamente igual a él, sólo que más gordita.

En el lomo de la recién llegada se encendió la tecla roja: PULSAR. Pulsé.

—¡Menudo susto nos has dado, Corcusín! —dijo con el tono metálico que yo conocía—. Anda, sube. Y trata de poner más atención en clase, que luego nos dejas en ridículo.

Volviéndose a mí, añadió:

—Te traigo un regalo de cumpleaños.

De la cápsula salió alguien más.

—¡Un perro! —exclamé entusiasmada. No era como Corcusín, sino como el *chuchus callejerus terraqueus* de toda la vida.

—Perra —corrigió la corcusina—. Llevaba años dando vueltas por el espacio hasta que nos dio pena y la pescamos. Se llama Laika.

En los lomos de los corcusinos se encendieron, simultáneamente, las teclas azules: PULSAR. Pulsé. Los dos se fueron elevando hasta la altura de mis orejas y soplaron en ellas con suavidad. Se ve que es así como se despiden los amigos en su planeta.

Poco después, medio dormidos, aparecieron mis padres. Me desearon feliz cumpleaños y me dieron su regalo: el *Diccionario de los Grandes Descubrimientos*.

Laika, para caerles bien, soltó unos ladridos de bienvenida. Ellos, asombrados, preguntaron de dónde había salido.

—De una cápsula espacial —contesté, señalando a las alturas por donde acababa de desaparecer.

Mis padres suspiraron sin decir nada. No me creían. Al día siguiente lo conté en el colegio y pasó lo mismo. Ahora lo cuento aquí, a ver si alguien me cree. Y si no, seguro que es por envidia. Porque ¿a quién no le gustaría charlar un rato con un corcusinoj? Corcusino, quiero decir.

Breve historia de Jacinto Saravia y Pepe El Salado
Carlos Villanes Cairo

Cuenta la historia que Jacinto Saravia, natural de Toledo, hijo y nieto de castellanos viejos, era un chico guapo, valiente y formal. No llegaba a los catorce cuando embarcó con Cristóbal Colón como grumete y, sin duda, fue el más joven entre los tripulantes del primer viaje del famoso navegante genovés.

Pero la historia no cuenta que Jacinto llevó de polizón a un amigo suyo. Un personajillo simpático, al que conoció no sabemos dónde y con el que tenía una gran amistad: Pepe El Salado.

Pepe también era guapo, valiente y formal, ordenado y pulcro, comía a sus horas, dormía lo justo, no chillaba en vano y aparecía y desaparecía en el momento más oportuno. Sin embargo, Pepe no era un chico, sino un simpático ratón al que Jacinto había bautizado con ese nombre y, además, le había puesto «El Salado» por su gracia y buen hacer.

Dicen que Colón no aguantaba pulgas y un día, nadie sabe cómo, descubrió al ratón en su camarote, lo pilló entre los dedos y gritó:

—¡Jacinto!

El chico acudió rápidamente y vio cómo Pepe permanecía suspendido en el aire, aprisionado en la manota de don Cristóbal.

—¡He pillado un ratón, mira! —vociferó con un arrechucho de padre y muy señor mío—. ¡Lo tiraré por la borda y tú recibirás un castigo, por no tener mi camarote limpio!

—Está muy limpio, señor.

—Sí, pero con un roedor como el hijo de mi padre por su casa.

—Don Cristóbal —le dijo Jacinto—, ese ratón es mi mascota, vino voluntario a este viaje y sabe muy bien que no debe hacer ninguna trastada.

—¡De todas maneras lo tiraré al mar!

Pepe temblaba hasta los huesos y encomendó su alma al cielo.

—Señor —volvió a decir Jacinto—, ¿recordáis que yo fui la primera persona en alistarme voluntario en Cádiz, cuando nadie lo hacía, y vos me felicitasteis diciendo que algún día premiaríais mi valentía?

Colón reflexionó y descongestionó la cara, que la tenía como de cigala pasada por agua hervida.

—Es verdad... —dijo.

—Quiero que mi premio sea conservar este ratón, es mi amigo, entiende muy bien las cosas que le digo y nunca podría causarnos daño.

Colón extendió la palma de la mano.

—¿Es cierto eso? —preguntó asombrado.

Pepe El Salado movió la cabeza diciendo que sí.

—¿Veis? —dijo Jacinto, tomó a Pepe y se lo guardó en el bolsillo de su chamarra. Agradeció el gesto Colón y se marchó.

Pasaron los días y las noches, miedos y penas, alegrías, sustos y sinsabores. Un glorioso amanecer, Rodrigo de Triana, desde el palo mayor de *La Pinta*, gritó «¡Tierra!», y arribaron al Nuevo Mundo. En verdad, era nuevo y fascinante, y sin gatos, para la felicidad de Pepe.

Un día Colón llamó a Jacinto y le dijo:

—Tengo un gran problema —se llevó las manos a la cabeza—. No, no es un problema, es una curiosidad. Me muero de curiosidad y tal vez tú me puedas ayudar.

—¿...?

También Pepe El Salado sacó la cabeza de la chamarra de su amigo.

—Estos indios son muy buenos, pero tienen un defecto..., ¡comen barro!

—¿Barro? No me lo creo. Si comen frutos tan dulces como la piña, la papaya, la chirimoya, la fresa, la guayaba..., ¿barro? ¡Aggg! Yo no lo creo.

Colón dio un golpe sobre la mesa de su camarote.

—¡Lo he visto yo!... y no se discuta más.

—¿Y por qué vos no se lo pedisteis para ver qué era?

—Cuando notaron mi cara de asco, me dijeron que no podrían dármelo, que aquello era «una cosa de indios» —Colón miró al chico y a Pepe El Salado—. Tal vez vosotros podáis ayudarme. Tengo que saber qué es, no vaya a ser alguna cosa del mismo diablo —se santiguó y dijo finalmente—: Amén.

Esa misma noche, Jacinto y su amigo Pepe fueron hasta la aldea. Después de husmear, descubrieron que el supuesto barro estaba guardado en unas vasijas, en la parte alta de los bohíos, hasta donde era imposible que llegaran los chicos.

—Voy yo —dijo Pepe—, eso para mí no es nada.

—Trae un poco de barro y vuelve pronto.

Pepe subió, se metió dentro de la gran vasija y... no volvía. Pasaron los minutos y Jacinto no sabía cómo llamarlo para que nadie se despertara, y El Salado, nada de volver.

Y el tiempo siguió pasando y Pepe no volvía.

«Debe de haber caído en una trampa», pensó Jacinto

y trató de subir por una viga, pero resbaló y cayó. Todo el mundo se despertó. Se armó un gran alboroto. Jacinto señaló la misteriosa vasija y los nativos trajeron una escalera hecha en un solo tronco, subieron, y en el recipiente hallaron a Pepe, tirado patas arriba.

—¡Está muerto! —gritó Jacinto.

Pepe El Salado despertó.

—¿Quién, yo? —dijo bostezando.

—¿Qué te ha pasado?

—He probado este barro y está buenííisimo.

—¿Qué es esto? —preguntó Jacinto a los nativos.

—¡Chocolate! —le dijeron a coro.

Jacinto lo probó y quedó maravillado. Se lo llevó a Colón y Colón quedó encantado, y de vuelta de su primer viaje se lo dio a los Reyes Católicos en Barcelona. A éstos les pareció excelente y quisieron saber cómo lo hacían.

—Muelen semillas de cacao, las mezclan con miel de abeja y le vierten esencia de vainilla.

—¿Qué es eso? —preguntó la reina.

—Una planta que crece allá y perfuma los postres.

—Yo le añadiré leche pura de vaca y estará mejor —dijo la reina, y así lo hizo.

En el segundo viaje, Colón llevó mil quinientos hombres, en diecisiete navíos, y con ellos muchos ratones, que se multiplicaron rápidamente en el Nuevo Mundo. Y todos vivían muy felices y contentos disfrutando de las pipas de girasol, las palomitas de maíz, las patatas y hasta los chicles, que allí encontraron por primera vez.

Pero no todo es felicidad en esta vida, y en los siguientes viajes de Colón también empezaron a llegar los gatos al Nuevo Mundo...

Índice

EL BARCO DE VAPOR

SERIE NARANJA (a partir de 9 años)

EL BARCO DE VAPOR

SERIE ROJA (a partir de 12 años)